Diogenes Taschenbuch 24525

SIMONE LAPPERT, geboren 1985 in Aarau in der Schweiz, studierte am Schweizerischen Literaturinstitut in Biel. Mit ihrem Debütroman *Wurfschatten* stand sie auf der Shortlist des *aspekte*-Preises. Sie ist Präsidentin des Internationalen Lyrikfestivals Basel und war Schweizer Kuratorin für das Lyrikprojekt *Babelsprech.International*. 2019 erschien der Roman *Der Sprung,* der für den Schweizer Buchpreis nominiert wurde und monatelang auf der Schweizer Bestsellerliste stand. Simone Lappert lebt und arbeitet in Zürich.

Für Björn.
Und für Paula und Milan.

Diese Welt!
Als ob es eine andere gäbe.
Susan Sontag,
Gegen Interpretation

She never stumbles
She's got no place to fall
Bob Dylan,
She belongs to me

Inhalt

I

Die Feindseligkeit
lebenswichtiger Organe an sich

Siehst du, es schlägt noch. Ada löste die Fingerkuppen von ihrer Halsschlagader und ließ die Hand sinken, nicht zu weit, nur bis zum Schlüsselbein. Sie starrte durch das staubige Fenster auf die Straße. Die blasse Februarsonne spielte den Passanten auf dem Bordstein ihre Schatten zu, synchron und maßstabgerecht, jedem sein Quentchen Schablonenschwarz. Alles, wie es sich gehörte, zumindest draußen, selbst die fetten Tauben schleppten ihre kleinen Schatten durch den Rinnstein, in dem der letzte Schnee versickerte. Es war beinahe still in dem kleinen Raum. Nur das Blubbern der Aquarien war zu hören. Und ab und zu das Summen des Kühlschranks aus der Küche. Ada wusste nicht, wie lange sie schon im Pyjama am Fenster stand und auf dem Ende ihres Zopfs herumkaute, das nach Shampoo schmeckte und Rauch, sie wusste nur, dass es lange sein musste, dass es Zeit war, die kalten Füße zu bewegen und den Tag zu beginnen. Stattdessen zerknautschte sie mit der linken Hand die künstliche Kopfhaut ihrer blonden Kurzhaarperücke. Sie hatte sie zum Proben aufsetzen wollen und es dann vergessen. Das kam öfter vor in letzter Zeit, dass ihre Vorhaben sich in ihren Gedanken verhedderten.

Aus dem Augenwinkel konnte Ada das Stethoskop sehen, das zusammengerollt auf dem Tischchen neben dem Fenster lag. Nicht, dachte sie, nicht schon wieder. Sie lehnte ihre Stirn gegen die kühle Scheibe und versuchte, die Schatten auf dem Asphalt zu zählen. Doch die Schatten verschoben sich ständig, weshalb sie es mit den Laternen versuchte, den Autos, Antennen, Passanten, aber ihr Blick rutschte ab und ab und ab am glatten Glas und verfing sich im schwarzen Plastikschlauch des Stethoskops.

Das Herz eines Walfischs, dachte Ada, ist so groß wie ein vw-Käfer; ungeheuer stabil musste ein solches Herz sein. Ob je ein Walfisch einen Herzinfarkt erlitten hatte, fragte sie sich, und wie das aussehen mochte, wenn solch ein Koloss sich vor Schmerzen krümmte und auf den Meeresboden sank, mit der Schwanzflosse Sand aufwirbelte und schließlich reglos liegen blieb. Ada schloss die Augen. Da war wieder diese Taucherglocke aus trübem Glas, die sie vom Tag trennte, die ihr den Kopf und das Atmen schwermachte. Dieses taumlige Gefühl, wie manche es haben, wenn sie aus dem Tiefschlaf gerissen werden und die Bilder im Kopf noch stärker sind als das, was die müden Augen wahrnehmen. Ada hob ihre rechte Hand auf Brusthöhe, hielt sie einen Moment so und schaute sie an: Die Hand zitterte. Und wenn die Hand jetzt schon zitterte, dann würde es nicht mehr lange dauern, bis die Taucherglocke ihr den Kopf unter Wasser drückte, tief in ihr eigenes Angstwasser hinein. Und während sie von außen betrachtet, etwa von einem der gegenüberliegenden Fenster aus, nur aussehen würde wie eine junge Frau, die etwas starräugig den Tauben auf dem Gehsteig zusah, würde sie innerlich strampeln gegen den Druck in die Tiefe. Und es wäre ihr nicht anzusehen, dieses Unterwasserstehen und das Ringen nach Luft, nicht von einem der gegenüberliegenden Fenster aus und auch nicht aus der Nähe; denn selbst jemand, der neben ihr gestanden hätte, ganz nahe, so nahe, dass er die trockenen Hautschüppchen auf ihrer Lippe hätte sehen können, die sie noch nicht abgebissen hatte, selbst so jemand hätte nur etwas irritiert gefragt, woran sie denke.

Ada ließ die Zitterhand auf ihren Oberschenkel sinken. Und wenn schon, so weit wirst du es heute nicht kommen lassen. Zieh dich an, fang an mit deinem Tag, fang irgendetwas an, und hör auf, in dich hineinzufallen.

Sie versuchte, an etwas Beruhigendes zu denken. An die Enten, unten im Hafenbecken, an die Weinreben, oben, in den windigen Tüllinger Hügeln, an die Zuversicht der wandernden Lachse, an all die frischgebackenen Brote in den Bäckereiregalen und daran, dass die anderen am Abend zu Besuch kommen würden, an dampfende Nudeln und Wein vom Bodensee. Aber eben, dachte sie, sterben bedeutet, nie wieder. Nie wieder Wind und Wein und frischgebackenes Brot, nie wieder Enten füttern, falsche Falten schminken, sich nie wieder stundenlang hässlich finden, den eigenen Speck zwischen den Fingern rollen, nie wieder dem Meer entgegenfahren, mit Sonnenbrand in den Armen eines Fremden erwachen und etwas nur sagen, weil es schön klingt. Nie wieder ein Zuhause vermuten irgendwo, nie wieder Fische beneiden um ihre Gleichgültigkeit. Sich nie wieder schuldig fühlen für Erfolge und daraufhin die Bühne meiden, nie wieder sich fürchten vor dem eigenen Mut und sich sagen: Morgen ist auch noch ein Tag. Überhaupt nie wieder etwas aufschieben können, mit Serien die Leere zerpixeln im Kopf, sich Folge für Folge hineinwarten in den Schlaf, den Tag nie wieder zu spät beginnen. Nie wieder die Mutter nicht anrufen, die Bewerbung nicht abschicken, sondern ein letztes Mal ringen nach Luft und dann: einfach stillstehen – stillliegen wohl eher –, mitten in einer Falschheit, einer Unfertigkeit womöglich; und das wäre mit Sicherheit das Schlimmste überhaupt: unfertig sterben; irgendwo auf halbem Weg abhandenkommen.

Ada schob ihre Hand in die Bauchtasche ihrer Pyjamajacke und ballte die Faust, als ließe sich das Zittern darin zusammenpressen. Sie fragte sich, ob eine Zigarette jetzt helfen würde, vielleicht, dachte sie, vielleicht hilft das Klicken des Feuerzeugs und das Knistern der Glut: eine Handvoll zu tun für sieben Minuten, immerhin.

Das Scheppern der Klingel riss Ada aus ihren Gedanken, sie zuckte zusammen. Im nächsten Moment aber schon erleichterte sie die bevorstehende Ablenkung.

Hinter der Milchglasscheibe der Wohnungstür zeichnete sich einer der Bordsteinschatten von eben ab, die Silhouette einer dicklichen Gestalt. Ada schaute auf ihre Hände. Das Zittern hatte aufgehört. Die Klingel hatte das Trennglas um ihren Kopf zerscheppert, und der Tag war wieder da, wie ein Gegenstand, auf den man unvermutet stößt, nachdem man überall vergeblich nach ihm gesucht hat.

Ada öffnete die Tür und blickte in ein faltiges, aber freundliches Gesicht.

»Fräulein Ada«, sagte der Mann, »nicht wahr, das sind Sie.«

Ada nickte.

»Matuschek«, sagte der Mann und rieb sich verlegen die Hände, »Sie müssten mich eigentlich kennen. Wir haben uns schon mal, also, mir gehört das hier.« Er machte eine ungeschickte Handbewegung Richtung Treppenhaus. Jetzt erinnerte sich Ada und wurde unruhig, sie rieb ihren rechten Fußrücken an der linken Wade warm.

»Ein schönes Haus«, sagte sie.

»Ja«, sagte Matuschek, »den Garten habe ich vierundneunzig eigenhändig, den hätten Sie vorher mal, ich kann Ihnen sagen, aber deswegen bin ich ja nicht, also ich sag's jetzt rundheraus.« Er holte tief Luft. »Ich nehme an, Sie wissen, worum es geht?«

Matuschek tat ihr leid. Trotzdem lächelte Ada und sagte: »Vielen Dank, dass Sie das mit der Klingel so schnell geregelt haben. Wollen wir uns vielleicht in den Garten setzen, mit einer Tasse Kaffee?«

Matuschek wehrte mit beiden Händen ab. »Ach«, sagte er, »das darf ich gar nicht, mein Arzt, wissen Sie, aber deswegen bin ich auch nicht – sehen Sie, Sie sind in Verzug, über drei Monate, Sie wissen schon, mit der Miete, und Sie haben ja auch nicht auf all die Briefe … also, das zwingt mir Maßnahmen auf, gewisse.« Er machte dabei ein Gesicht, als wollte er sich dafür entschuldigen, dass er sie geweckt hatte.

»Ärzte sind schlichtweg humorlose und genussfeindliche Menschen«, sagte Ada und schüttelte den Kopf, »die sind Einschüchterer von Beruf, Einschüchterer und Spaßverderber, allesamt.«

»Fräulein Ada«, sagte Matuschek gequält, »das gehört doch gar nicht, sehen Sie, es bleibt mir nichts anderes übrig, ich werde Ihnen das aufkünden müssen.« Er deutete mit dem Kinn in ihre Wohnung.

Ada verschränkte die Arme vor der Brust. »Ich dachte, Sie hätten Verständnis für uns Künstler«, sagte sie, »für unser unregelmäßiges Einkommen.«

Matuschek seufzte. »Sehen Sie«, sagte er, »ich schätze das Theater, ich gehe da gerne, aber wir müssen halt alle, es tut mir leid, Fräulein Ada, Ende des Monats müssen Sie wirklich, sonst, eben, das macht dann Frau Sacher, meine Sekretärin. Aber wir müssen das ja nicht im Treppenhaus«, sagte er, »vielleicht ist es besser, wenn wir das drinnen –«

Mit einer Handbewegung, die sie gleichzeitig beruhigte und erschreckte, gab Ada der Tür einen leichten Stoß. Sie fiel langsam zu, leise klickend, gerade so.

Es tut mir leid, hätte sie gerne gesagt, das war Notwehr. Ich kann auf keinen Fall zulassen, dass Sie durch meine Wohnung stiefeln, womöglich noch ins hintere Zimmer, ich wäre nicht in der Lage, Ihnen das Geringste zu erklären. Aber Ada wusste, dass Matuschek das falsch verstanden hätte, dass er bis jetzt überhaupt alles hatte falsch verstehen müssen. Also schwiegen sie beide, atmeten, standen da für eine Weile, jeder auf seiner Seite der Tür, bis Ada schließlich davonschlich und sich in das Zimmer rettete, aus dem sie gekommen war.

Sie ging zum Fenster und öffnete es. Vielleicht würde frischer Stadtwind jetzt helfen. Kalte Februarluft schwappte ihr entgegen und griff zwischen die Fotos, Computerausdrucke und Zeitungsartikel, die mit Reißzwecken oder Tesafilm an der linken Zimmerwand angebracht waren und diese fast vollständig bedeckten. Eines der Blätter löste sich und segelte aufs Parkett. Ada bückte sich danach. Es war ein Bericht aus der *Apothekenrundschau* über Netzhautablösung. In wochenlanger Arbeit hatte sie diese Wand bepflastert, mit allem, was ihr Angst machte, alphabetisch geordnet von Attentat bis Zyste. Sie betrachtete das raschelnde Mosaik, die offenen Wunden und Erdbebentrümmer. Wenn sie nur lange genug und immer wieder ihre Therapietapete studierte, die Fotos betrachtete und die

Artikel las, davon versuchte sie überzeugt zu sein, dann würde mit all diesen Bedrohungen dasselbe geschehen wie mit einem Wort, das man immer und immer wieder ausspricht: Sie würden sich auflösen in Bedeutungslosigkeit.

Ihr Blick fiel auf die blauschwarze Röntgenaufnahme eines Gehirntumors, die sie vergangene Woche an einem Flohmarktstand gekauft hatte. Wenn sie es lange genug aushielt, hinzuschauen, erkannte sie darin mal den Panzer eines Hirschkäfers, mal den wässrigen Körper einer Qualle. Im Grunde aber wusste Ada, dass ihre Angst auch trotz der Tapete weiterwuchern würde. Sobald eine Bedrohung abklang, bildete sich an anderer Stelle eine neue. Ihre Angst war wie das Krebsgeschwür dort vor ihr, das im Verborgenen immer neue Metastasen bildete, und die Therapietapete eine stets lückenhafte Dokumentation der Ängste, die sie befielen. Ada musste an die Schatten der Passanten denken und daran, dass Wurfschatten die Existenz ihrer Werfer bezeugten; Schatten im Inneren des Körpers hingegen bedeuteten Zysten, Tumore, Gerinnsel und gefährdeten die Existenz, löschten sie aus.

Ada klebte den Artikel zurück an seinen Platz, dicht neben dem Foto einer kalifornischen Nervenheilanstalt. Matuscheks Schritte waren verstummt. Ihre Hände zitterten wieder. Neben dem Stethoskop lag ein Stapel rosafarbener Einzahlungsscheine, lauter unbezahlte Rechnungen, ein Stapel stummer Drohungen, zu denen sich nun auch noch jene von Matuschek gesellte. Was, wenn sie aus der Wohnung musste, was dann. Und vor allem: Wohin.

Einmal noch, dachte sie und ging zu dem Tischchen neben dem Fenster. Sie griff nach dem Stethoskop, stellte den Holzstuhl in die Mitte des Raumes und setzte sich hin, mit dem Rücken zum Fenster. Sie zog die Beine an den Körper und den Saum ihrer Pyjamajacke bis über die Füße, hängte sich das Stethoskop um den Hals und drehte das trichterförmige Bruststück in den Händen. Als sie die Plastikpfropfen in die Ohren schob, war es ein paar Sekunden lang vollkommen still. Sie schob das Bruststück unter die Pyjamajacke, am Schlüsselbein vorbei, an die Stelle, unter der sich ihr Herz befand. Die Membran lag kühl auf ihrer Haut. Ada schloss die Augen und lauschte dem Bass in ihrem Brustkorb, der nun von beiden Seiten in ihren Kopf drang und ihn ausfüllte. Hörst du, es schlägt. Es schlägt und schlägt und schlägt und – Was denn sonst, dachte sie, reiß dich zusammen, reiß dich los und hör auf, deine Zeit so dumm zu verschwenden.

Ada stand auf und ging zum kleinsten der fünf

Aquarien, sie öffnete die Abdeckung, hielt sich mit beiden Händen am dünnen Glasrand fest und beugte ihren Kopf, an dem das Stethoskop baumelte, über das Aquarium. Tiefer, und noch ein bisschen, bis ihr Kinn das Wasser berührte und das Bruststück Richtung Grund sank. Von oben schaute sie auf die bunten Rücken der Neonsalmler, die den silbernen Fremdkörper umzuckten. Sie atmete tief durch, und ihr Kopf füllte sich mit gleichmäßigem Rauschen. Jetzt war sie selbst da unten, im gefilterten Wasser, ein Fisch unter Fischen. Und einen Moment lang gedächtnislos genug, um sich keine Sorgen zu machen.

Nach einer Weile, als die Neonsalmler sich schon nicht mehr um das Stethoskop kümmerten, hob Ada den Kopf. Sie nahm die Plastikpfropfen aus den Ohren, zog das Bruststück aus dem Wasser und wischte es an ihrer Pyjamajacke trocken. Die Quartierglocke schlug Viertel vor. Ada wusste nicht, Viertel vor was. Sie griff nach einer der Futterdosen und schraubte den Deckel ab.

»Ihr bekommt bald ein schöneres Zimmer«, sagte sie zu den Salmlern, während sie die bunten Futterflocken auf die Wasseroberfläche streute, »bald werde ich das alles hier drin nicht mehr brauchen, ich werde den ganzen Plunder entsorgen und euch nicht mehr als Lockmittel ausnutzen, um diesen Raum überhaupt zu betreten.« Die guten Fische dachte sie, die guten, genügsamen Fische.

Schon als Kind konnte sie sich nicht für Pinguine, Flamingos oder Affen begeistern. Sie hatte schon immer nur die Fetzenfische sehen wollen, die Rochen, Stechrochen, Adlerrochen, das träge Pulsieren der Quallen hinter Glas: wie sie kopflos ihre giftigen, mit Spitzen besetzten Nachthemden durchs Wasser zogen.

Adas Kinderhände hinterließen flüchtige Abdrücke auf den Scheiben der Aquarien im Zoo und der Fischtheke im Supermarkt. Sie verstand nicht, warum ihre Mutter ihr die Dorade nicht kaufen wollte, die jeden Samstag in der Auslage schimmerte und zum Glas gekehrt das sichelförmige Goldband auf ihrer Stirn präsentierte. Es mochte sie ja sonst niemand haben. Woche für Woche brach sie vor der Theke in Tränen aus, bis ihre Mutter sich weigerte, sie zum Einkaufen mitzunehmen.

An einem verregneten Tag im Herbst lag Adas Mutter mit Grippe im Bett und konnte sie nicht vom Kindergarten abholen. Ada trug ihre blaugelb getupfte Pelerine. Wenn sie die Arme ausbreitete, sah sie damit aus wie ein Blaupunktrochen. Sie schwamm direkt vor die Fischtheke im Supermarkt, die Hosentasche schwer vom Kleingeld aus ihrem

Sparschwein. Die Frau hinter der Theke sah selbst ein wenig aus wie ein Fisch mit ihrem fleckigen Gesicht und dem faltigen Mund, den sie öffnete und schloss, ohne ein Wort zu sagen. Ada stellte sich auf die Zehenspitzen, um größer zu wirken, und verlangte nach der Dorade. Doch die Alte beachtete sie kaum. Sie griff mit ihren runzligen Händen nach dem goldwangigen Fisch und packte ihn in eine Tüte, die sie Ada über die Theke reichte. Die Kassiererin schaute sie misstrauisch an, sagte aber nichts, auch nicht, als Ada ihr das ganze Kleingeld in die Hand klirren ließ. Die Kassiererin zählte gut drei Viertel davon ab und gab ihr den Rest zurück.

Zu Hause riss sie ungeduldig die Tüte auf. Die Dorade war herrlich anzusehen. Ada streichelte die kühlen Schuppen, die goldenen Wangen. Sie verstaute den Fisch in einer Schuhschachtel und schob die Schachtel unters Bett.

Am übernächsten Morgen übergab sich die Mutter in den Wäschekorb am Fußende des Bettes. Der Vater schnitt die Dorade mit der Gartenschere in vier Stücke und warf sie ins Klo.

Ada schraubte den Deckel zurück auf die Futterdose. Unten auf dem Bordstein zogen die Passanten noch immer ihre beschatteten Werktagslinien. Jede Schädeldecke eine Kompassscheibe, jeder Scheitel eine verlässliche Nadel. An Tagen wie diesem fehlte Ada der schmutzige Bühnenboden der *Brotbüchse* mehr als sonst. Sie hätte gerne gewusst, wohin der Regisseur mit den ausstehenden Gehältern abgehauen war. Mittlerweile hielt sie sich mit dem Engagement bei *Mord an Bord* mehr schlecht als recht über Wasser, einem Dinnerspektakel auf dem Zwischendeck der *Andromeda,* bei dem sich die Schauspieler unter die speisenden Gäste mischten. Ihr Auftritt war auf wenige Minuten beschränkt. Sie spielte die schüchterne Helene, die schon nach kurzer Zeit reglos unter der gedeckten Tafel lag.

Den Rest der Zeit, der ein großer Rest war, verbrachte sie damit, die Fertigstellung ihrer Bewerbungsunterlagen hinauszuschieben. Und also streifte sie stattdessen durch die unterirdischen Gänge des Vivariums im zoologischen Garten oder zwischen den Weinreben hindurch den Tüllinger Hügel hinauf, sie saß auf Mauern und Brückenköpfen, mal mit Schirm, mal ohne und maß die verstrichene Zeit in Zigarettenstummeln, sie saß in Cafés vor brösligen Kuchen, mal Karotte, mal Blaubeer, sie setzte sich zur Mittagsvorstellung ins Kino und blieb da bis nach Mitternacht, bis zum letzten Buchstaben im letzten Abspann, sie saß stundenlang bei ihren Fischen, lernte die Muster auf ihren Rücken auswendig und spielte dabei mit ihrem rechten Ohrring, so lange, bis er sich löste und zu Boden fiel, sie höhlte Brote von innen aus, kämmte ihre Perücken und warf mit Hilfe der Schreibtischlampe oder des Feuerzeugs Schattenfische an die Wand, Rochen, Flundern, Tigerhaie. Sie rief, wenn das Geld mal dazu reichte, in unruhigen Nächten ein Taxi und ließ sich durch die leergeschlafene Stadt fahren, in all die bedrohlichen, scheintoten Winkel, manchmal trank und tanzte sie auch bis zum Einsatz der ersten Putzmaschine mit Leuten, die sie gern hatte, oder solchen, die ihr gestohlen bleiben konnten, denn alles war besser, als allein zu sein mit dieser ohrenbetäubenden Stille im Kopf. Auch deshalb nahm sie manchmal einen Mann mit nach Hause und zehrte ein paar Tage von dem Mut, der sie befiel, wenn einer von ihnen sich in sie verliebte und ihr die Möglichkeit gab, sich für kurze Zeit neu zu erfinden für ihn und darüber alles andere zu vergessen. Im Wesentlichen aber versuchte sie, niemandem zu nahe zu kommen.

Manchmal verfluchte sie es, wie leicht es ihr in Gesellschaft fiel, jemand anderes zu sein, von einem Satz in den nächsten, alles eine Frage der Stimmlagen und Gangarten, vor allem auch der Auslassungen. Wie herrlich war die Ablenkung gewesen, als sie für Felix, einen Biologiestudenten aus Freiburg, ein paar Tage lang die italienische Gastdozentin aus Genua gegeben hatte, die an die Musikakademie gebeten worden war, um Vorträge über Puccinis verschollene Flötensonaten zu halten. Oder als sie Geoffrey, einen erfolglosen Dubliner Barpianisten, als bodenständige Bäckerin mit französischem Akzent und Segelschein fast um den Verstand gebracht hatte. Es hatte sich angefühlt wie das Sprechen einer Fremdsprache, die man gut beherrscht: Durch den Gebrauch dieser Sprache wurde das Altvertraute mit einem Mal aufregend und biegsam. Bis dieser Effekt sich schließlich abnützte, nach und nach. Nicht wirklich Fremd*sprache,* dachte Ada, Fremd*körper.* Aber sobald sie alleine war, verwandelte sich diese angenehme Fremde des eigenen Körpers in eine bedrohliche zurück.

Sie versuchte sich mit dem Gedanken zu trösten, dass das alles vielleicht bald besser, und wenn nicht besser, dann zumindest anders werden würde, weil sie in ein paar Wochen nach München reisen, vorsprechen und vielleicht ein Engagement ergattern würde. Vielleicht, dachte Ada, endlich auf die Welt kommen. Aber sie dachte es ganz weit hinten im Kopf und auch nur, weil sie sich daran gewöhnt hatte, es zu denken.

Sie schloss das Fenster. Wasser, dachte sie, schwere, schwimmende Bäuche, warum nicht, proben konnte sie auch später noch, mit leichterem

Kopf; und Geld, um die Rechnungen zu bezahlen, hatte sie ohnehin nicht. Sie entschied, unten auf dem Asphalt ihren Schatten einzufordern, fürs Abendessen einzukaufen, Nudeln und Wein vom Bodensee und dann in den Zoo zu gehen, ins Vivarium.

Es war sehr warm, so zu viert, in Adas kleiner Küche. Die Fenster, hinter denen es längst eingedunkelt hatte, waren von innen beschlagen, es roch nach Pesto und Rauch, Nick Drake besang zum fünften Mal den Mond, und Ada stellte die leergegessenen Teller zusammen, um Platz zu machen, für einen zweiten Aschenbecher. Allmählich begann sie zu schwitzen mit dem angeklebten Bart, den künstlichen Haaren auf der Brust und der Perücke mit dem Modellnamen Luigi, die an der Stirn etwas zu eng saß.

»Obwohl du aussiehst wie ein Zuhälter«, sagte Lukas zu Ada, »und obwohl du, wie wir vielfach am eigenen Leib erfahren durften, eigentlich nicht kochen kannst, das Essen heute war vorzüglich.«

Bettina lachte, sie saß mittlerweile im Unterhemd am Tisch und sah mit ihrer Schneewittchenhaut im Kerzenlicht noch makelloser aus, als sie ohnehin war. »Das kannst du laut sagen«, sagte sie, schob den halbvollen Teller von sich weg und leckte sich die schmalen Finger, wobei sie nicht widerstehen konnte, ihr Spiegelbild im Küchenfenster zu betrachten, einen Moment verharrte sie in ihrer Bewegung, die Finger zwischen den geschürzten Lippen, die Stellung ihres Kinns leicht korrigierend, als würde sie für ein Foto posieren. Ada konnte ihr dieses Verhalten nicht wirklich verübeln. Bettina war einfach schön, so schön, dass es schwer war, sie darum nicht zu beneiden, weshalb die meisten Frauen ihr aus dem Weg gingen. Im Grunde war Bettina zutiefst verunsichert deswegen und versuchte, die mangelnde Zuneigung der Frauen durch jene der Männer auszugleichen. Immer wieder äugte sie über Lukas' Schulter hinweg in den Fensterspiegel, als hätte sie Angst, sich in einer unbedachten Sekunde in irgendetwas Hässliches zu verwandeln.

»Du hast ja deinen Ziegenkäse gar nicht aufgegessen«, sagte Lukas und wies auf Bettinas Teller, »das war doch das Beste am Ganzen.«

»Ich wollte ihn mir bis zum Schluss aufsparen«, sagte Bettina, »ich mache das immer so, ich spare mir das Beste immer auf bis zum Schluss. Aber jetzt habe ich keinen Hunger mehr.«

Ada stellte die anderen Teller in die Spüle und versuchte, nicht an ihren Kontostand zu denken, der mit diesem Einkauf ins Minus gerutscht war.

»Gib her«, sagte Lukas, »das Beste ist für mich gerade gut genug.«

Bettina beugte sich über den Tisch und fütterte Lukas von ihrer Gabel. Dabei rutschte ihr der linke Träger ihres Unterhemds über die Schulter. Sie tat, als hätte sie es nicht bemerkt. Lukas schaute auf ihre halbentblößte linke Brust, dann verlegen auf seinen leeren Teller und zupfte ein paar Fusseln von seiner Kaschmirweste.

»Lässt du uns heute endlich mal in deine ominöse Kammer?«, fragte Hendrik, der von der Toilette zurückkam. Er lehnte sich gegen den Kühlschrank und drehte umständlich eine Zigarette. »Mich persönlich«, sagte er, »machen verschlossene Türen hibbelig.«

Ada schüttelte den Kopf. »Da drinnen probe ich«, sagte sie, »da will ich keine fremden Gedanken.« Sie nahm Hendrik die fertiggedrehte Zigarette aus der Hand: »Manche Türen bleiben sogar dir verschlossen«, sagte sie, »stell dir vor.«

Bettina ließ geräuschvoll ihre Schuhe von den Füßen plumpsen und streckte die Beine, länger und höher als nötig. »Du probst jeden Tag, oder«, sagte sie, »jeden verdammten Tag, einfach so ins Blaue hinein.«

Ada nickte. Sie fand, dass eine pantomimische Lüge eine Lüge war, die weniger ins Gewicht fiel.

Bettina band sich die dunklen Locken energisch zusammen, ein paar Sekunden später löste sie die Frisur wieder auf. Lukas' und Hendriks Augen folgten der Bewegung ihrer Hände. Wahrscheinlich sind sie beide in Bettina verliebt, dachte Ada. Und ein wenig störte es sie, obwohl sie wusste, dass Hendriks Haut auch beim nächsten Mal nur nach den Kleidern riechen würde, die sie ihm ausgezogen hatte, nach Waschmittel eben, fremd, fast steril, und dass der einzige Grund dafür, dass sie manchmal miteinander schliefen, eine Langeweile war, das selbstsüchtige Verlangen nach einer Steigerung des eigenen Wohlbefindens, wobei der jeweils andere nichts als ein austauschbarer Statist blieb. Und doch ertappte sie sich dabei, wie sie trotz ihrer Verkleidung versuchte, beim Rauchen schön auszusehen. Begehrt zu werden bedeutete eine gesteigerte Form der Existenz, bedeutete ein Zusatzleben im Kopf eines anderen, eine weitere Anlegestelle.

»Und«, fragte Bettina, »wirst du uns eigentlich bald verlassen.«

Ada nickte, »ein paar Angebote gibt es«, sagte sie, »aber ich will nicht zu schnell entscheiden.« Schon die zweite Lüge an diesem Abend. Vielleicht, dachte Ada, ist es mit meiner Zukunft wie mit dem Käse auf Bettinas Teller. Ich schiebe sie an den Tellerrand und lasse sie so lange da liegen, bis ich keinen Hunger mehr auf sie habe. So ist es am einfachsten.

»Ada macht das schon«, sagte Hendrik, »die macht das schon.«

Ada schwieg, stand auf, öffnete mit den Zähnen die Popcornpackung und ließ eine Handvoll Maiskörner auf den ölbedeckten Pfannenboden rasseln. Lukas streckte sich, »ich drehe ja morgen einen Werbespot für Brotaufstrich«, sagte er, »so viel zu meiner Karriere. Deshalb sollte ich jetzt auch langsam los.«

»Von wegen«, sagte Ada und entkorkte eine neue Flasche Wein, »das bisschen Wein wird deiner Persönlichkeit nichts anhaben, außerdem wolltet ihr alle unbedingt Popcorn mit Karamellzucker haben. Und du«, sie zeigte auf Lukas, »glaub ja nicht, dass du mir davonkommst, wolltest du nicht tätowiert werden?«

Lukas fuhr sich durch die Haare, »ich weiß nicht«, sagte er, »du willst das echt nur mit einer Nadel und so ein bisschen Tinte machen, ja?«

Ada nickte, »klar, wie bei mir«, sagte sie und fuhr mit den Fingerspitzen über die Tätowierung an ihrem linken Unterarm, die ein bisschen aussah, als hätte jemand einen fast leeren Kugelschreiber mit hektischem Gekritzel reaktivieren wollen.

»Was ist das eigentlich?«, fragte Lukas, »hat das irgendeine Bedeutung?«

Ada schüttelte den Kopf. Auf eine Lüge mehr oder weniger kam es jetzt auch nicht mehr an. »Ist doch hübsch«, sagte sie, »oder?«

»Ich weiß nicht«, sagte Lukas noch einmal, »ich glaube, ich bring das nicht.«

»Feigling«, sagte Ada und knibbelte sich die Kunsthaare von der Brust. Sie füllte Lukas' Glas auf und verpflichtete ihn und die anderen damit zu mindestens zwanzig weiteren Bleibeminuten.

Solange die anderen da waren, war sie noch die Frau, die Kopf voran vom Dreimeterbrett sprang, die sich am linken Unterarm selbst tätowiert hatte und das Engagement bei *Mord an Bord* als willkommene Auszeit bezeichnete. Sobald die anderen weg waren, war sie das Mädchen, das nur bei Licht einschlafen konnte. Wenn überhaupt.

Ada schaute durch den Glasdeckel in die Bratpfanne, wo die Maiskörner im heißen Öl aufplatzten und ihr Innerstes nach außen stülpten. Und immer, dachte sie, gibt es Körner, die im Öl liegen bleiben und später auf dem Grund der Schüssel, entweder weil sie besonders robust oder aus irgendeinem Grund nicht geeignet sind.

»Wusstet ihr, dass die Ureinwohner von Nordamerika zu Kolumbus' Zeiten die Zukunft aus den

Formen der aufgeplatzten Maiskörner gelesen haben«, fragte sie und nahm die Pfanne vom Herd. Als sie sich umdrehte, war nur noch Hendrik in der Küche, die beiden anderen standen auf dem Balkon.

»Du bist seltsam heute«, sagte Hendrik und trat hinter sie, er legte einen Arm um ihre Taille und küsste sie auf den Hals. »Ich könnte mal wieder bleiben über Nacht«, sagte er.

»Ich weiß nicht«, sagte Ada, »ich glaube, ich wäre heute lieber allein.« Obwohl sie gerne gehabt hätte, dass Hendrik dableibt, gegen die Stille im Zimmer und die Schatten im Kopf. Sie wand sich mit der Pfanne als Vorwand aus Hendriks Umarmung und war froh, dass Bettina vom Balkon in die Küche trat und mit einem Mundvoll Rauch einen vorzeitigen Punkt hinter diese Unterhaltung pustete.

Im spiegelnden Küchenfenster betrachtete Ada das schweigende Grüppchen, das sie waren. Jeder von ihnen kämpfte auf seine Art um einen Platz, der groß genug war, um eine eigene Geschichte darauf zu errichten. Die Müdigkeit ließ sie einander gleichen. Im Grunde wollte keiner von ihnen aufstehen und an morgen denken.

»So«, sagte Hendrik, als auf dem Grund der Schüssel nur noch hartgebliebene Körner lagen und der karamellisierte Zucker sich mit dem Daumennagel kaum noch von der Glasschüssel kratzen ließ. Mit der flachen Hand schlug er auf den Tisch und erhob sich. Seine kleine Geste räumte die Küche, die ganze Wohnung leer, dickte die Dunkelheit vor den Fenstern ein und machte Ada wacher, als sie sein wollte. Und noch während sie die anderen zur Tür brachte, stellten sich die Haare an ihren Unterarmen zu kleinen Antennen auf, die sich alarmbereit der Umgebung entgegenstreckten. Sie reagierten empfindlich auf den nachlassenden Lärm.

Gegen drei Uhr früh löschte Ada das Licht. Sie legte sich unter die Decke, mit derselben krampfhaften Entschlossenheit, mit der sie sich als Kind nach einem Streit mit den Eltern im Badezimmer eingeschlossen und in die leere Wanne gelegt hatte. Sie vergrub die Nase im Ärmel ihres frischgewaschenen Pyjamas, der rosa war, einzahlungsscheinfarben, dachte sie. Aber morgen wäre wieder eine andere Farbe dran. Jeden Tag den Pyjama zu wechseln war wichtig, außer wenn sie eine dieser seltenen traumlosen Nächte hinter sich hatte, in denen sie nach wenigen Minuten eingeschlafen und bis zum Morgen nicht aufgewacht war. Dann legte sie den Pyjama unters Kopfkissen und hoffte, dass etwas von der angstfreien Energie im Stoff hängenblieb und sich auf die nächste Nacht übertrug. Ein

Pyjama war nicht nur ein paar hundert Gramm funktionell zusammengenähten Stoffs, er verriet viel über den Menschen, der ihn trug. Es gab Menschen, die sich in die Pyjamas zwängten, die sie mit zwölf getragen hatten, und solche, die zwar von irgendwoher eine Pyjamahose, aber kein passendes Oberteil dazu hatten, es gab jene, die es nicht zustande brachten, alte T-Shirts wegzuwerfen und sie mit der Ausrede, sie noch zum Schlafen anziehen zu können, aufbewahrten, um dann doch immer nur die obersten drei aus dem immer größer werdenden Stapel zu benutzen, wie Ada es bis vor wenigen Wochen auch getan hatte. Und dann gab es jene, die in einen Laden gingen und sich bewusst den Pyjama aussuchten, mit dem sie sich ins Bett legen wollten. Wer du im Bett bist, bist du auch im Leben, das hatte sie in einer Zeitschrift gelesen, in einem anderen Zusammenhang zwar, aber es hatte ihr eingeleuchtet. Ein ordentlicher Pyjama war der erste Schritt in ein geordnetes Leben.

Ada bewegte sich jetzt nicht mehr und starrte auf die gegenüberliegende Hauswand, das Stückchen Fassade, das sie vom Bett aus sehen konnte. Über dem Flachdach klebte ein blasser Mond im Dunkel, dünn wie ein abgeschnittener Fingernagel. Die Decke war im Bezug nach unten gerutscht, und Ada umklammerte den kühlen Stoff. Sie spürte ihren Puls in der Kopfhaut und legte sich anders hin, aber das Pochen wanderte in die Armbeuge und dann ins Zahnfleisch. Sie misstraute diesem Pochen, musste ihm hinterherspüren wie einem Fisch unter Wasser, der entwischte, sobald sie ihm zu nahe kam, und sie zuckte zusammen, wenn das Pochen verstummte für einen Moment, und setzte sich auf, damit sie es nicht im Kissen hörte, es nicht überwachen musste. Aber zur Sicherheit fasste sie sich doch an den Hals und drückte den Finger fest auf die pulsierende Schlagader. Ein stechender Schmerz durchzuckte ihren Hinterkopf, ein Tumorstechen, ganz bestimmt. In Gedanken ging Ada die Namen in ihrem Handy durch, doch keiner davon kam in Frage, was hätte sie auch sagen sollen? Sie sah nur die anderen die Köpfe schütteln, sah sie mitleidig lächeln und tuscheln hinter vorgehaltener Hand. Hendrik wäre noch wach, aber der würde ihren Anruf falsch verstehen und nicht aus dem Grund kommen, aus dem sie ihn brauchte. Für ein Taxi reichte das Geld nicht. Reiß dich zusammen, Ada, du bist doch kein Kind mehr, du wirst doch wohl fertig werden mit den paar Stunden Nacht. Doch dann brach links und rechts das Zimmer weg, ihr Blick verwackelte, zeigte wahllos ein scharfes Bild: Aschenbecher, Stuhl, doch dahinter sah sie ihre Arme an Infusionsschläuchen hängen, dann ihre Blutbahnen von innen, durch die sich ein Klümpchen drückte, ein Gerinnsel, auf dem Weg ins Herz, ins Gehirn, deshalb der Schmerz – und gleich würde alles stillstehen. Ada schlug die Decke zurück und stand auf, die Wände rasten an ihr vorbei, weiß und schnell, viel zu schnell, gleich würde sie hinfallen und liegen bleiben, und niemand würde sie finden und ins Krankenhaus bringen. Sie stieß die Tür zum Therapiezimmer auf, stieß sich den Zeh an der Schwelle, humpelte zum Stethoskop auf dem Tischchen und hängte es um, aber alles drehte sich, ihre Arme kribbelten, sie verlor das Gefühl in den Beinen; so fühlt sich Sterben an, dachte sie, genau so: der Körper stellt Glied für Glied seine Funktionen ein, und sie drehte sich in dem kleinen Zimmer und stieß kurze, heisere Laute aus gegen das Rauschen in den Ohren und die Taubheit in den Wangen, panische Schluchzer, zu denen das Weinen fehlte; sie öffnete die Abdeckung des Aquariums neben der Tür und tauchte ihre Hände ins Wasser, schaufelte es sich ins Gesicht, Fischchen, wimmerte sie, ihr Fischchen, aber ihre Hände hörten nicht auf zu kribbeln und die Wände nicht auf zu rasen, alles war taub von der Kopfhaut bis zu den Waden, und sie taumelte in den Flur, stützte sich an den Wänden ab; ihre Hände fanden keinen Halt, sie zog am Telefonhörer, das Telefon fiel mit einem lauten Knall aufs Parkett, sie zog es hinter sich her, kniete sich hin, die Zahlen verschwammen vor ihren Augen, komm, sagte sie, mach schon, und ihre Finger drückten Zahl um Zahl, sie sah das Telefon vor sich, wie es klingelte auf Hendriks Nachttisch, und sie sah Hendrik, seinen schlafenden Rücken, aber Hendrik bewegte sich nicht und hörte sie nicht und konnte sie nicht retten, und Ada presste den Hörer an die Brust, zog das Telefon hinter sich her in die Küche, wo über dem Herd ein Zettel hing, den sie mitnahm in den Flur, wo sie sich wieder hinkniete, den Hörer kurz auflegte, die Nummer dreimal eintippte, bis die Frau im Hörer nicht mehr sagte, sie sei ungültig, und sie drückte den Hörer fest ans Ohr, als könnte sie so das Klingeln verstärken in der anderen Wohnung, denn da musste jetzt einer rangehen, bevor sie sich auflöste, geh ran, sagte sie, geh ranranran, und dann klickte es in der Leitung, und eine unsichere Stimme sagte: »Matuschek. Hallo, wer ist da?«

Ada raffte ihren Atem zusammen, zu einem Ton, einer Stimme, die »hallo« sagte, »Ada hier, die von heute Morgen«.

Ob sie eigentlich wisse, wie spät es sei, schimpfte Matuschek benommen, Herrgottsakrament noch mal, er habe gedacht, es sei werweißwas passiert, die Pumpe sei ihm fast stehengeblieben, verdammt noch mal, eine Zumutung sei das, jawoll, eine Zumutung.

Seine vom Schlaf noch heisere Stimme bremste das Rasen der Wände ein wenig. Ada presste den Hörer fest ans Ohr. Aquariumwasser oder Schweiß tropfte von ihrem Gesicht auf die Knie.

»Es tut mir leid«, sagte sie, »das ist mir alles ganz unangenehm, so dass ich gar nicht richtig schlafen kann, wissen Sie, und deshalb wollte ich Ihnen sagen, dass ich ganz bald zahlen werde, mit Sicherheit.«

Das wolle er aber auch hoffen, sagte Matuschek, er für seinen Teil habe weißgott keine Zeit für solcherlei Fisimatenten, er habe morgen einen strengen Tag vor sich und wünsche ihr eine gute Nacht.

»Halt«, rief Ada, die nicht zulassen konnte, dass der Gesprächsfaden abriss, den sie gerade durch die Nacht gesponnen hatte, an dem sie sich festhielt, um nicht ins Leere zu fallen; auf keinen Fall durfte Matuschek auflegen. Sie hatte noch immer kein Gefühl in den Beinen, sie musste noch immer mit dem Schlimmsten rechnen. »Herr Matuschek«, fragte sie, »kennen Sie sich mit Fischen aus?«

Nun, das komme ganz darauf an, sagte Matuschek, sicher, ein bisschen kenne er sich schon aus, als junger Kerl habe er im Zoo seine Brötchen verdient, und da habe er auch das eine oder andere Mal im Vivarium zu schaffen gehabt. Was das denn nun mit der Sache zu tun habe.

»Wissen Sie, ob Fische schlafen?«, fragte Ada, »ich habe noch nie einen Fisch mit geschlossenen Augen gesehen.«

Nun ja, sagte Matuschek und holte tief Luft, das sei kein Wunder, die hätten ja auch keine Lider. Ada atmete auf. Er hatte angebissen. Ihr Blick wurde klarer, fürs Erste war sie in Sicherheit. Sie rutschte näher zur Wand und zog die Beine an den Körper, während Matuschek redete, davon, dass Fische sich in ihren Ruhephasen im Halbschlaf befänden, also quasi nur ein paar Gänge runterschalteten, dass der Papageienfisch sich sogar eigens ein Schlafmäntelchen aus Schleim anfertige, das ihn gegen Feinde abschirme, und dass Fische also durchaus in einen entrückten Zustand verfallen könnten; er selbst, sagte Matuschek, habe damals im Zoo einen dreißig Zentimeter langen Barsch an der Schwanzflosse durchs Becken ziehen können, der habe also rein gar nichts gemerkt, völlig weg sei der gewesen.

Ada klemmte den Hörer zwischen Schulter und Ohr ein. Matuscheks Monolog, der aus dem Lautsprecher waberte, lullte sie ein, in ein Schlafmäntelchen aus Fachwissen und Außenwelt.

Ob sie noch dran sei, wollte Matuschek nach einer Weile wissen.

»Ja«, sagte Ada, »ich bin nur auf einmal furchtbar müde.«

Man habe sich jetzt auch tatsächlich verquasselt, meinte Matuschek, aber das sei ja nicht weiter schlimm, und wegen der Miete, da habe er sich gerade etwas überlegt, er werde sich wieder bei ihr melden.

Als Ada den Hörer zurück auf die Plastikgabel legte, standen die Wände still. Langsam löste sie ihre verkrausteten Hände.

2

Der Hohn der frühen Vögel

Ada kniete tot unter dem Tisch. Durch den Spalt zwischen Schiffsparkett und Tischdeckensaum kroch ein wenig Dämmerlicht, in dem sie die Füße der Spektakelgäste erkennen konnte. Ein paar der Damen hatten die hohen Schuhe abgestreift, es roch nach Fußschweiß, Leder und Körperlotion. Ada legte ein Ohr aufs Parkett. Wenn Bettina hinten am Klavier für einen Moment den Mund hielt in ihrem schlechtgespielten Streit mit Lukas, war deutlich zu hören, wie der Rhein gegen den Bauch der *Andromeda* klatschte. Ada legte sich auf den Rücken, vorsichtig, ohne die vergessenen Füße unter dem Tisch zu berühren, sie zählte die blinden Holzaugen in der Tischplatte über ihrem Kopf. Genau so muss sich das an der eigenen Beerdigung anfühlen, dachte sie, wenn man im Sarg liegt, eingesperrt und gelangweilt mit einem Brett über dem Kopf, während es für die Leute rundherum irgendwann Essen gibt. Und zu allem Übel würde auf ihrem Grabstein auch noch ihr voller

Vorname stehen: Adamine. Ein Name, der ihr augenblicklich die Zunge geschwollen machte. Adamine! So taufte eine Mutter den Klotz an ihren dicker gewordenen Beinen. Zum Glück hatte sie sich mittlerweile vom fetten Hinterteil ihres Vornamens befreit, und mit ihm, so hoffte sie, vom ganzen Familien- und Vergangenheitsspeck. Manchmal verfiel sie dem Aberglauben, die Verkürzung ihres Namens könnte eine Verkürzung ihres Lebens herbeirufen. Ein Kitzeln an der Fußsohle holte Ada zurück unter die Lebenden. Sie hob den Kopf und schaute zu Maria, die dicht neben ihr kniete und deren graues Haar im Halbdunkel bläulich schimmerte. Maria begutachtete einen weißen, etwas ramponierten Stöckelschuh und schüttelte den Kopf. »Unfassbar, diese Trutschen«, flüsterte sie, »oben chic und unten Schande, schau mal.« Sie drückte Ada den Schuh in die Hand. Ada verkniff sich ein Lachen und tauschte den weißen Stöckelschuh gegen eine strassbesetzte Sandalette aus, die ein bisschen weiter weg lag. Maria kicherte in ihre Armbeuge, und für einen Augenblick nahm ihr runzliges Gesicht den Ausdruck eines schadenfreudigen Kindes an. Mit demselben Ausdruck in den Augen hatte sie vor ein paar Monaten in Adas Tür gestanden und nach Milch gefragt. Ob sie sich umsehen dürfe, hatte sie gefragt und ohne eine

Antwort abzuwarten die Wohnung betreten. Sie hatten zusammen Kaffee getrunken, Maria hatte ihr von *Mord an Bord* erzählt, wo sie die Mörderin spielte, und gesagt, dass sie eine neue Leiche brauchten, weil die alte gekündigt hatte. Maria war Russin. Sie war Ende der sechziger Jahre in die Schweiz gekommen, weil ihr Verlobter in Basel eine Stelle als Gleisbauer bekommen hatte. Nach wenigen Monaten hatte er Maria nachgeholt. Ihr gemeinsames Glück hatte nur fünf Tage gedauert. Irgendein Unfall, das war das Einzige, was Ada wusste. Nach dem Tod ihres Verlobten hatte Maria von Sozialhilfe gelebt und ihr Deutsch aufgebessert. Sie hatte in Moskau die Schauspielschule besucht und schlug sich seither mit kleinen Engagements durch. Noch immer bewohnte sie die drei Zimmer, ein Stockwerk unter Ada, in die sie vor über vierzig Jahren mit ihrem Verlobten eingezogen war. Bis heute hatte sie es nicht zustande gebracht, seine Umzugskartons von damals aus- oder wegzuräumen. Aufgetürmt zu einer Pappmauer standen die Kisten als Raumteiler im Wohnzimmer. Was die kyrillischen Beschriftungen darauf bedeuteten, wollte Maria nicht übersetzen. »Was spielt das für eine Rolle«, hatte sie gesagt, »es ist überall dasselbe drin: nutzloser, altgewordener Aufbruchsklimbim.«

Hinter der Pappmauer stand ein rundes Tisch-

chen mit gusseisernem Fuß, darauf ein Frühstücks-
teller, auf dem noch ein Buttermesser lehnte, das
Fett an der Klinge war über die Jahre hart und
bräunlich geworden. Im Schatten der Klinge lagen
zwei vertrocknete Käserinden, in der Mitte des Tel-
lers eine kleine, hartgewordene Ecke Toastbrot und
ein paar Krümel, die älter waren als Ada. Auch der
Kaffee in dem hellblauen Porzellanbecher war nur
noch als bräunliche Verfärbung auf dem Becher-
boden zu erkennen. »Ich war gerade dabei, den
Tisch abzudecken, als sie mich angerufen haben«,
hatte Maria gesagt. »Den Rest habe ich nicht mehr
geschafft.« In all den Jahren hatte Maria an keinem
einzigen Morgen das Frühstück an dem kleinen
Tisch ausgelassen. Hendrik, Bettina und Lukas
hatte sie weisgemacht, es handle sich bei dem Ganzen um eine Kunstinstallation namens *Zeit und
Raum,* die sie während fünfzig Jahren fotografisch
dokumentiere. Ein einziges Mal hatte Ada nachts
zitternd unter ihrer Taucherglocke vor Marias Tür
gestanden und sturmgeklingelt. Aber Maria hatte
nicht aufgemacht. Ein paar Tage später hatte sie
Ada erzählt, dass sie nachts nicht zu wecken sei. Sie
hatte ein kleines Döschen mit Pillen geschüttelt
und gegrinst, »wie tot«, hatte sie gesagt.

»Was hast du mit deinen Händen gemacht?«,
flüsterte Maria.

Ada versuchte, ihre Hände zurückzuziehen, aber Maria hielt sie fest umschlossen.

»Die Heizungsluft«, flüsterte Ada, »die trocknet alles aus.«

Maria ließ los, »du bist doch kein Tier«, sagte sie, »nur Tiere nagen an ihren eigenen Gliedmaßen. Deine Schuhe und deine Hände, das sind deine Visitenkarten, vergiss das nicht, sie verraten alles über dich.«

Ada versteckte ihre Hände zwischen den Knien.

Maria strich ihr über den Rücken. »Du und deine Sorgen.«

Ada hörte, dass Hendrik dabei war, den dritten Gang aufzutragen: Zander auf Gemüsebeet. Bettina, die sich nun auf den Platz direkt vor Ada setzte, an dem sich unter der Tischdecke ein tellergroßes Loch befand, streckte die Beine aus. Mit der Spitze ihres linken Schuhs kratzte sie mit einer unauffälligen, aber steten Bewegung den Mückenstich auf ihrem rechten Fußrücken blutig.

»Liebling«, sagte sie zu Lukas, ohne mit dem Kratzen aufzuhören, »lass uns essen, wir müssen jetzt alle bei Kräften bleiben.«

Die Luft war muffig. Ada versuchte, durch den Mund zu atmen, aber die Vorstellung, dass die Fußschweißpartikel auf ihre Zunge gelangten, ekelte sie, und schließlich legte sie einen Arm übers Gesicht. Der Kokosgeruch ihrer Körperlotion war ein Verweis nach draußen, auf den kommenden Sommer und die Namen der Meere, die sie kannte.

Sie hörte, wie Hendrik den präparierten Teller mit der silbernen Warmhalteglocke auf das Loch in der Tischplatte stellte. Kurz darauf begann Lukas den Klavierstuhl zu Kleinholz zu verarbeiten. Er schleuderte das Möbel jedes Mal so spektakulär durch die Gegend und warf es dermaßen inbrünstig wieder und wieder zu Boden, trat, schlug und schrie darauf ein, dass es für Ada ein Leichtes war, unbemerkt das angeklebte Stück Tischdecke über ihrem Kopf zu lösen. Ein säuerlicher Geruch nach Blumenkohl und Lauch breitete sich unter dem Tisch aus und vermischte sich mit den bestehenden Gerüchen. Ada hörte, dass Lukas mittlerweile den Polsterbezug des Klavierstuhls in immer kleinere Fetzen riss. Ein fettleibiger Herr, dessen Fußfleisch über die Ränder seiner Schuhe quoll, untermalte sein Lachen mit regelmäßigem Stampfen. Lukas ließ vom Klavierstuhl ab und schneuzte sich in ein Stück Polsterbezug. Der Fettleibige stampfte wieder vor Vergnügen. Allmählich wurde es Zeit, Ada löste den Arm von ihrem Gesicht, und die Weltmeere versickerten zwischen den Parkettleisten. Sie richtete sich etwas auf, schloss die Augen und streckte den Kopf durch das Loch in der Tischplatte. Der Teller lag jetzt wie ein Kragen um ihren Hals, die Warmhalteglocke saß als blecherne Mütze auf ihrem Kopf; ihre Haare und ihr Kinn lagen in dem Gemüsebeet aus kaltem Blumenkohl und Lauch. Ein paar Sekunden später hob Bettina die Glocke, und helles Scheinwerferlicht fiel auf Adas geschlossene Lider, »o mein Gott«, hauchte Bettina, »wie grauenhaft«. Lukas kam dazu, »Helene«, stammelte er und brach in ein beeindruckendes Weinen aus, weinen konnte er gut, dieser Lukas, mit echten Tränen, wofür er zum Schluss immer viel Beifall erntete. Jetzt drängten auch ein paar der Zuschauer zum Fundort, jeder durfte einen Blick auf die Leiche werfen, einer kam ihr mit dem Gesicht so nahe, dass sein übelriechender Atem sich wie ein Taschentuch auf ihr Gesicht legte; Ada hielt die Luft an. Wenn sie ehrlich mit sich war, beneidete sie diese Leute, für die eine Leiche etwas Unterhaltsames war. Sie beneidete sie um ihre Fähigkeit, morgens die Zeitung durchzublättern und abends Eintritt für ein erfundenes Verbrechen zu bezahlen. Am meisten aber beneidete sie diese Leute darum, dass sie nachts tatsächlich schliefen, während sie reglos die Bettdecke umklammerte wie ein kleines Kind bei Gewitter.

Ada zuckte zusammen, ein paar von ihren Haaren hatten sich in einem fremden Hemd- oder Manschettenknopf verfangen, sie biss auf die Zähne, weil sie trotz allem nicht aus der Rolle fallen wollte. Bettina hielt ihren Ichkannnichtmehr-Monolog, einige Zuschauer zückten die Fotoapparate und jagten Blitzlichter über Adas geschlossene Lider, jemand pikste sie mit dem Finger in die Wange, immer wieder. Ada ballte die Fäuste unter dem Tisch. Der Gedanke, dass all diese Leute weiterleben würden, wenn ihr etwas zustieß, dass sie alle weiterhin Fisch essen, *Tatort* schauen und sorglos schlafen würden, jagte ihr das Blut in die Ohren. Außerdem kniete sie nicht richtig, das Gewicht war ungleichmäßig verteilt, und ihr linker Fuß begann einzuschlafen. Aber es würde nicht mehr lange dauern, bis Maria, die Mörderin, in ihrem Versteck unter dem Tisch auffliegen würde. Und dann waren es nur noch wenige Minuten bis zum Applaus.

Nach der Vorstellung spazierten Ada und Maria den Rhein entlang bis zur Mittleren Brücke. Maria musste immer wieder ihren Hut festhalten, damit er nicht von einem Windstoß mitgenommen wurde. Die vorbeispazierenden Leute drehten verstohlen die Köpfe nach dieser kleinen alten Frau um, die mit ihrem schwarzen Fellmantel, ihrem großen Hut und ihren Perlen die Grandesse einer Filmdiva aus den späten Fünfzigern verströmte.

»Woran erkennt man einen Schauspieler auf dem Fahrrad?«, fragte Ada.

Maria zuckte mit den Schultern.

»Daran, dass er den Kegel des Vorderlichts auf *sich* gerichtet hat.«

Maria lachte und bewegte dann ihr Vorderlicht, aber es ließ sich nur bis zur Seite drehen. »Es zeigt auf dich«, sagte sie, »wenn das mal kein Zeichen ist. Im Ernst«, Maria blieb stehen. »Was machst du noch hier, ich hab dich doch spielen sehen in der *Brotbüchse,* ich verstehe nicht, warum du hier deine Zeit verschwendest.«

Ada beugte sich übers Brückengeländer und sagte nichts von dem, was sie hätte sagen können. Das Rheinufer war menschenleer. Tagsüber hatte hier Hochbetrieb geherrscht. Das frühe Jahr hatte unverhofft mit Kurzarmwetter geprahlt, überall hatten halbentblößte Menschen am betonierten Ufer gelegen und ihre winterweißen Gliedmaßen der Sonne ausgesetzt. Jetzt nieselte es, und die Luft war mit der zunehmenden Feuchtigkeit kühler geworden. Ada zeigte flussabwärts. »Schau«, sagte sie, »da unten, hinter dem Rheinknie, befindet sich unser völkerrechtlich garantierter Zugang zum Meer, zur Nordsee, zu wilden Gewässern. Das steht so im Gesetz. Ist das nicht schön, dass wir ein gesetzlich verankertes Recht haben aufs Meer?«

»Ist doch nur Wasser«, sagte Maria.

Aus der Ferne konnte Ada die *Andromeda* sehen, die am Klybeckquai vor Anker lag und mit null Knoten in den Seilen hing; ein degradiertes Hochseeschiff, dachte sie, an dem kein Seesalz klebt. Sie beobachtete Maria, die mit den Fingern über ihre Fahrradklingel und die Bremsschläuche am Lenkrad strich. Maria gähnte, »alt werde ich heute nicht mehr«, sagte sie, »ich glaube, ich gehe nach Hause.«

»Lass uns noch in die Schluckstube gehen«, sagte Ada, »auf einen Absacker.«

»Ich kenn dich doch«, sagte Maria, »bevor es hell wird, kommen wir da nicht raus.«

»Nur kurz«, sagte Ada, »versprochen.«

Maria schüttelte den Kopf. Ada sah ihre leere Wohnung vor sich und seufzte, ihr war auf einmal kalt. An der Tramstation fiel ihr jetzt ein Mann in dunkler Jacke auf, der einen Gegenstand aus seiner Innentasche zog, langsam und heimlich. Es war eine Pistole, ganz zweifellos. Er hielt sie nah am Bauch und tarnte sie mit dem Schwarz seiner Jacke. Er zielte damit auf Ada, genau auf ihren Brustkorb. Der Mann sah ihr geradewegs in die Augen, als er die Waffe entsicherte und zum Schuss ansetzte. Ada war, als würde ihr ganzes Blut mit Wucht in die Knie sacken, ihr Kopf war von einer zur nächsten

Sekunde leer und heiß. Blitzartig packte Ada Maria an den Schultern und drückte sie nach unten, hinter das schützende Steingeländer der Brücke. Mit eingezogenem Kopf und angehaltenem Atem kauerte sie neben Maria und erwartete den Schuss, der sie gerade so verfehlen würde.

»Aua«, sagte Maria, »was soll das, was ist denn los?«

Ada rappelte sich ein Stückchen hoch und spähte übers Brückengeländer hinüber zu dem Mann mit der Waffe. Er lehnte an der Fahrplantafel und drehte sich eine Zigarette, daran gab es keinen Zweifel. Das harmlose kleine Gerät, das er dafür benutzte, hatte Ada für eine Waffe gehalten. Sie schloss die Augen. Die kalten Hände taten jetzt wohl auf dem heißen Gesicht, sie linderten die Scham ein wenig, die hinter ihren Wangen glühte.

»Jetzt sag mir doch, was los ist«, sagte Maria.

Ada nahm die Hände vom Gesicht. Einen Moment lang dachte sie darüber nach, Maria tatsächlich zu erzählen, was los war, ihr von ihrem Angstalphabet zu erzählen und den verglasten Tagen. Aber all das ging ihr nicht über die Lippen. »Es ist nichts«, sagte Ada, »ich habe mich erschreckt, ich dachte, da kommt etwas geflogen, ich dachte … nicht so wichtig.« Sie griff nach dem Hut, der Maria vom Kopf gefallen war und jetzt in dem geschmolzenen Rest einer heruntergefallenen Eiskugel lag. »Entschuldige«, sagte Ada, »das tut mir leid, den hat Leo dir geschenkt, oder?« Sie begann mit dem Ärmel ihrer Jacke an dem Fleck herumzureiben.

»Lass gut sein«, sagte Maria und nahm ihr den Hut aus der Hand, »schon gut.« Sie zog sich am Geländer hoch und setzte den Hut wieder auf.

Auch Ada erhob sich. »Es tut mir leid«, sagte sie, »wirklich.«

Maria sah sie von der Seite an mit einem besorgten Blick. »Du würdest mir schon sagen, wenn etwas nicht in Ordnung ist, oder?«

»Sicher«, sagte Ada.

In ihrer Jackentasche tastete sie nach Zigaretten, um das unangenehme Schweigen besser auszuhalten, das sich jetzt zwischen ihr und Maria ausbreitete. Aber sie fand keine. Sie machte ihre Jacke auf und wieder zu und wieder auf.

»Was ist eigentlich damals passiert?«, fragte sie schließlich, »du weißt schon, mit deinem Verlobten.« Sie fragte, um sich abzulenken, vielleicht, um ihre Angst vor dem Tod auszulagern in eine Vergangenheit, die mit ihr nichts zu tun hatte, vielleicht auch einfach nur, um Halt zu finden in Marias Trauer, auf jeden Fall aber fragte sie, um das Schweigen zwischen ihnen aufzubrechen und weitere Nachfragen zu vermeiden.

»Zwischen zwei Rangierwagen«, sagte Maria nach einer Weile und ließ ihre Handflächen gegeneinanderknallen, »es hat ihn einfach zerquetscht.« Sie hielt die Handflächen noch einen Moment lang zusammengepresst, ehe sie die Finger ineinanderschob und die Erinnerung vor sich aufs Geländer sinken ließ. Ada strich ihr über den rauhen Unterarm. Wenn sie Maria so ansah, wie sie sich aufs Geländer stützte, gefangen in ihrer faltigen Trauer, war sie einmal mehr überzeugt davon, dass die Liebe aus jedem, den sie erwischte, früher oder später einen rückwärtsgewandten, zusammengesunkenen Menschen machte. Jetzt schämte sie sich, gefragt zu haben. »Wusstest du«, sagte sie und zeigte auf die zweistöckige Dreirosenbrücke, die man in der Ferne erkennen konnte, »dass sie die gar nicht hier gebaut haben?«

Maria schaute auf.

»Angeschifft haben sie das Ding«, sagte Ada, »in vier Teilen, und dann dort ausbetoniert. Das muss man sich mal vorstellen.«

Maria zog ihren Arm unter Adas Hand hervor. »Hör auf, mich zu bemitleiden«, sagte sie.

Ada spürte, wie ihr das Blut in die Wangen schoss. »Es ist eher so, dass ich mich schon mal vorsorglich selbst bemitleide.«

Maria lachte ein sehr leises Lachen, »das ist meine Geschichte«, sagte sie, »die bekommst du nicht, die ist nicht ansteckend. – Der da drüben«, sie zeigte auf den Mann an der Tramstation, der mittlerweile rauchte, »der schaut die ganze Zeit zu dir her.«

»Soll er«, sagte Ada.

Maria fixierte sie von der Seite. »Warum sieht man *dich* eigentlich nie mit einem Mann«, sagte sie, »bei Tag meine ich und mehr als einmal? Hässlich bist du ja nicht. Gut«, sagte sie und legte den Kopf schief, »manchmal kannst du einem schon Angst machen, wenn du so vor dich hin starrst, als wolltest du die Landschaft auswendig lernen. Und ein bisschen mehr machen müsstest du aus dir. Ein bisschen Farbe ins Gesicht, ein bisschen Schmuck; vielleicht so etwas wie eine Frisur …«

»Glaub mir«, sagte Ada, »ist besser so. Diese vorgefertigten Liebesschablonen, in die dann jeder versucht, den anderen hineinzupressen, das ist nichts für mich. Und früher oder später machen sie ohnehin alle die Biege. Erst weckt man ihren Eroberungsdrang, dann ihren Beschützerinstinkt, und die Schablone scheint perfekt zu passen, aber irgendwann werfen sie einem vor, dass man schwierig sei, und zack, steht man wieder allein da. So ist das doch immer. Nicht nur mit den Männern. Die Leute interessieren sich für Wunden, ganz egal, ob es Schrammen am Körper oder an der Psyche sind, erst einmal steigern sie deinen sozialen Marktwert, erst einmal ist es eine Geschichte. Aber irgendwann werden die Schwachstellen, die zuerst so aufregend waren, lästig.«

Maria wischte mit dem Handrücken die Nieseltropfen von ihrem Fahrradsattel. »Du bist viel zu jung, um so zu reden«, sagte sie.

Ada schaute auf das dunkle Wasser des Rheins, wo die Fische bestimmt schon ihre Nachtruhe begonnen hatten. »Mit Alter hat das gar nichts zu tun«, sagte sie. »Die Blicke der anderen sind eine Art Bühne. Eine Sucht ist das. Und wenn der Applaus ausbleibt, fängt man an, sich durchsichtig zu fühlen. Ich habe viel zu lange nur aus den Blicken anderer bestanden. Manchmal glaube ich, dass ich nichts Eigenes mehr habe, gar nichts, nicht einmal eine Vorstellung von mir, die sonst keiner hat.«

Maria schüttelte den Kopf. »Das ist doch keine Lösung, sich so zurückzuziehen.«

Ada lachte ironisch auf. »Sagt eine, die seit über vierzig Jahren in einem Mausoleum aus Pappschachteln lebt. Ich bitte dich.«

Maria begann zu nicken. Erst zaghaft, dann heftiger. Ada tat leid, was sie gesagt hatte. »Ich hab's nicht so gemeint«, sagte sie.

»Doch«, sagte Maria, »hast du. Wir sollten beide

mal einen Moment den Mund halten.« Sie polierte mit dem Ärmel ihre Fahrradklingel. Ihre Augen hasteten den grauen Himmel entlang, als würde sie auf einen ganz bestimmten Tropfen warten.

»Warum bist du hiergeblieben«, fragte Ada, »all die Jahre, warum bist du nicht wieder zurückgegangen?«

Maria klappte die Kapuze ihres Mantels hoch. »Ich glaube, die Fragestunde ist für heute beendet«, sagte sie und schwang sich aufs Fahrrad.

»Warte«, sagte Ada, »ich komme mit.«

»Ich würde lieber alleine fahren«, sagte Maria, »gute Nacht.«

Zögernd stieg Ada die Treppe zu ihrer Wohnung hoch. Jede Nacht aufs Neue kostete es sie große Überwindung, die leere, wartende Wohnung zu betreten; jedes Mal befiel sie auf dem obersten Treppenabsatz die Angst vor der Angst. Vor dem Fenster im Zwischenflur blieb Ada stehen. Jemand hatte es geöffnet, sie wusste nicht mehr, ob sie das gewesen war. Der Regen hatte die Stadt still gemacht. Die eitlen Sonnenbader, die jetzt noch wach waren, standen bestimmt zu Hause vor ihren Spiegeln, tasteten ihre Haut nach Sonnenbrand ab und prüften den Grad ihrer Bräune. Ada hingegen stand vor dem offenen Fenster im Zwischenflur und tastete ihre Gedanken nach Anzeichen von Angst ab. Den Grad ihrer Angst maß sie an der Schnelligkeit ihres Pulsschlages und daran, wie stark er beschleunigte, wenn sie an bestimmte Dinge dachte. Wenn ihr Herz dabei zu sehr zu klopfen begann, wenn es ihr die Wangen heiß klopfte und die Luft aus den Lungen, dann blieb sie lieber im Treppenhaus sitzen, wo sie die Geräusche der anderen Bewohner hören konnte, wo die Wahrscheinlichkeit größer war, dass jemand sie fand, falls sie zusammenbrechen sollte. Sie dachte zuerst an ihr Bett, ans Kopfkissen, in dem die obersten Federn bestimmt schon verklebt waren von den Bildern, die sie Nacht für Nacht ausschwitzte; sie dachte an all die unbezahlten Rechnungen, dann ans Schlafzimmer, das Knacken der Dielen, die bullernden Leitungen hinter den Wänden, die Lichter in den Nachbarfenstern, die nach und nach ausgehen würden, Leute, die schliefen, ihr davonschliefen. Und die Fische musste sie füttern, was bedeutete, dass sie vor dem Schlafengehen noch einmal ihrer Therapietapete ausgesetzt sein würde.

Aber da war fast kein Herzklopfen, es schien eine gute Nacht zu sein. Trotzdem setzte Ada sich auf die zweitoberste Stufe, nur kurz, nur für den Fall. Sie kramte ihren Geldbeutel aus der Tasche und zählte laut, »sieben, elf ...«, für ein Taxi würde es nicht reichen. Gerne hätte sie jetzt jemanden angerufen, der die Stille aufbrach und ihr half, die Gedanken wieder vorne zu denken, ganz nah hinter den Augen, näher an der Welt. Aber damit musste irgendwann Schluss sein, am besten jetzt. Da gab es zu viele Dinge im Bauch des Telefons, an die sie nicht denken wollte. Sie wollte allein sein können, ohne dass die Wohnung sie bedrängte mit ihrem leise malmenden Balkengebiss.

Ada drehte den Wohnungsschlüssel in der Hand. Los jetzt.

Sie stutzte, als sie den Schlüssel ins Schloss steckte, die Tür war unverschlossen. Auch das noch, dachte sie, etwas mulmig war ihr nun doch zumute. Sie verschloss die Wohnungstür doppelt hinter sich und öffnete dann die Tür zum Therapiezimmer.

Zuerst erschreckte sie das Licht, das ihr entgegenschoss, dann sah sie den großen, drahtigen Kerl, der am Fenster saß und ein Weißbrot unterm Arm hielt, in dem noch das Messer steckte. Der Schaft lag fest in seiner Faust. Er hatte sich ebenso erschreckt wie sie, und das Brot unter dem Arm sah einen Moment lang aus wie die Kehle eines Gauners, die er aufzuschlitzen versuchte. Er stand auf, wischte sich mit der freien Hand über die Stirn und kam auf sie zu, ohne das Brot aus den Händen zu legen, dabei verfing sich ein Krümel in seinem blondroten Haaransatz. Ada hatte den Mund geöffnet, um zu schreien, irgendetwas zu sagen, wenigstens einen entsetzten Ton von sich zu geben, aber all die Fragen, die sie hatte, verstopften ihr den Hals, und deshalb griff sie stattdessen nur nach dem Türrahmen und hielt sich daran fest. Der Kerl streckte ihr seine Hand hin, eine saubere, kräftige Hand. Schuhe hatte er keine an. Schwarze Socken. Große Füße. Ada griff aus Reflex nach der Hand, die warm war und rauh und schnell wieder weg, weil der Kerl sie zurückzog und in die Hosentasche steckte. »Ich bin Juri«, sagte er, »Matuschek. Ich dachte, du wüsstest, dass ich komme. Mein Großvater hat dir eigentlich einen Brief geschrieben.« Ada fiel die ungeöffnete Post auf dem Küchentisch ein.

»Na ja«, sagte Juri, »ist ja jetzt auch billiger für dich. Hast du Hunger?« Er deutete auf das Weißbrot unter seinem Arm. Als er lächelte, verschwanden ein paar seiner Sommersprossen in den Fältchen um seine Augen. *Das* also war Matuscheks Idee gewesen. Das Blut rauschte in Adas Ohren, und sie wusste nicht, ob sie den Kopf schüttelte, es kam ihr jedenfalls so vor. »Du krümelst«, sagte sie und deutete auf das Parkett.

»Oh«, sagte Juri, bückte sich und sammelte die

Krümel ein; weil sich dabei aber das Brot unter seinem Arm bewegte, fielen immer neue nach. Adas Blick tastete sich verloren durchs Zimmer, stieß sich an all den fremden Sachen, die hier nicht hingehörten: Schachteln, Tüten, Plastikboxen, eine Matratze, eine Musikanlage, Bücherstapel, Klamotten, ein Tisch vor dem Fenster, darauf ein Teller mit Antipasti und ein Kugelschreiber. Immer wieder starrte sie ungläubig auf die weiße Wand, an der ihre Therapietapete gehangen hatte. Nichts als Klebstreifenreste und Reißzwecklöcher. Und in der rechten Zimmerecke ein paar Kratzer, die das Wegschieben der Aquarien hinterlassen hatte.

Juri, der immer noch Krümel einsammelte, schaute zu ihr hoch, ein Hosenträger war ihm von der Schulter gerutscht, und Ada sah jetzt nur noch diesen Hosenträger, dunkelblau, aus Elastan, fein gerippt, ihr Blick blieb einfach auf Juris Schulter liegen, als wäre er von den vielen Gegenständen im Zimmer schwer geworden.

»Alles in Ordnung«, fragte Juri, »geht es dir gut?«

»Meine Sachen«, sagte Ada fast tonlos, »wo sind meine Sachen?«

»In deinem Zimmer«, sagte Juri, »wir dachten …«

Ada drehte sich um, fast rannte sie jetzt die paar Meter zu ihrem Schlafzimmer, der Flur kam ihr ewig vor, sie stieß die Tür auf und machte Licht: Die Matuscheks hatten alles auf ihr Bett gepackt. Alles. All die Geschwüre, Erdbeben, Unfälle und Verbrechen lagen auf ihrer Bettdecke, auf ihrem Laken, sogar auf ihrem Kopfkissen. Ada legte eine Hand auf ihren Mund, der mit Flüchen und Beschimpfungen gefüllt war, die Hand zitterte. Im Türrahmen blieb Ada stehen und starrte ungläubig die Nahaufnahme einer Hautkrebszelle an, die auf ihrem Kopfkissen lag. Die beiden hatten ihre Therapietapete Blatt für Blatt von der Wand gepult. Angst für Angst für Angst für Angst. Die Scham darüber trieb ihr die Tränen in die Augen. Mit schweißnasser Faust umklammerte sie den Schlüssel zum Therapiezimmer. Zweimal hatte sie abgeschlossen, zweimal.

Juri stand plötzlich hinter ihr, »ich hoffe, wir haben nichts davon zerknittert«, sagte er. Seine Stimme kam ihr laut und kantig vor. Völlig entblößt stand sie vor diesem fremden Mann, der ihr seine Stimme in den Rücken bohrte und damit in ihrem schutzlos gewordenen Geheimnis herumstocherte.

»Kannst du nicht einfach wieder gehen«, sagte Ada, ohne sich zu Juri umzudrehen. Sie versuchte, sich die Tränen nicht anhören zu lassen.

»Ist nur vorübergehend«, sagte Juri, »bis ich was anderes finde.«

Ada schmetterte die Tür hinter sich gegen den Rahmen, schmetterte sie zwischen sich und diese Stocherstimme, aber die Tür fiel nicht ganz zu, weil die Verlängerungskabel, an denen die Aquarien angeschlossen waren, sie blockierten. Die armen Fische. Ada wagte gar nicht, hinzugehen und zu überprüfen, ob sie den Umzug wohl überstanden hatten.

Jetzt putzte er sich die Zähne. Wie lange denn noch. Ada lehnte am Fenster, die Farbfotos auf ihrem Bett waren schwarzweiß geworden, die Aquariumbeleuchtung hatte sich vor einigen Minuten selbständig deaktiviert, und seither hatten auch die Fische ihre Farben verloren. Schon wieder ging Juri in die Küche, sie hörte die Kühlschranktür und dann den Wasserhahn. Sie musste dringend aufs Klo, aber sie wollte Juri auf gar keinen Fall noch einmal begegnen. Was, wenn er weiterstocherte? Oder noch schlimmer: wenn er in der Stadt herumposaunte, was er gesehen hatte und irgendwelche dubiosen Gerüchte über sie verbreitete? Und überhaupt: Warum hatten diese Idioten den Plunder nicht auf ihren Schreibtisch gelegt oder auf den Fußboden? Sie konnte unmöglich ins Bett, nie wieder konnte sie sich da hinlegen.

Juri kam aus der Küche und ging den Flur entlang, er schob die Metallbügel an der Garderobenstange hin und her und schloss dann endlich die Tür zu seinem Zimmer.

Jetzt dachte sie schon: *sein* Zimmer. »Das wird nicht gutgehen«, sagte sie zu den Salmlern, »ganz und gar nicht gut.«

So, wie es nicht gutgegangen war, als sie noch mit Sophie zusammengewohnt hatte. Sophie, mit der sie studiert hatte, mit der sie nächtelang geredet, geraucht und Teebeutel um Teebeutel ausgedrückt hatte, mit der sie unzählige Projekte ersonnen und umgesetzt hatte, Sophie mit den ernsten kleinen Händen und dem großen roten Mund, die immer als Letzte das Licht in den Proberäumen gelöscht hatte, Sophie, die gemeint hatte, für alles Verständnis zu haben, der sie geglaubt hatte alles erklären zu können. Aber Sophie hatte nichts verstanden, hatte nicht begriffen, warum Ada plötzlich so oft müde war und nicht zum Unterricht kam, dass es die Glasstarre eines bedrohlichen Gedankens war, die sie davon abhielt, den Abwasch zu machen oder die Flaschen wegzubringen, weil sie stattdessen dasaß und eine Regung ihres Körpers überwachte, ein Ziehen oder Zittern, eine kleine Unregelmäßigkeit; dass es Tage gab, an denen sie überhaupt nur unter Menschen atmen konnte, am besten im Café oder im Kino, wo all die Eindrücke sie die Bedrohungen vergessen ließen, die sie zu Hause umgaben.

»Dass du das kannst«, hatte Sophie gesagt als sie sie einmal in der Stadt erwischt hatte, »mich einfach sitzenlassen mit allem und deinem Vergnügen nachrennen, ich dachte, wir sind ein Team.« – »*Angst*«, sagte sie, »wir haben doch alle Angst, wir stehen doch alle unter Druck, jetzt, vor dem Abschluss, alle reißen wir uns den Arsch auf, und du sitzt hier und trinkst Cappuccino.« Ada hatte nichts mehr gesagt, sie wusste nicht, wie sie ihre Lage erklären sollte, welches Argument Sophie widersprochen und sie überzeugt hätte, sie starrte nur den ungelösten Zucker am Boden ihrer leeren Tasse an und schwieg, sie schämte sich und kämpfte mit den Tränen, aber sie weinte erst, als Sophie das Café verlassen hatte, auf der Toilette und in die Stille ihrer Hände hinein. Am allerwenigsten aber verstand Sophie, warum Ada trotz ihrer Fehlzeiten und ihres schwachen Engagements schon vor dem Intendantenvorsprechen an zwei große Häuser eingeladen worden war. »Du bist und bleibst eine Dramaqueen«, hatte Sophie feindselig und verletzt gesagt, ein paar Tage, bevor sie ausgezogen war, »andere reißen sich ein Bein aus für solche Einladungen, ich weiß wirklich nicht, was dein Problem ist.« Ada hatte nur eine der Einladungen wahrgenommen, vielleicht, um Sophie aus der Ferne zu beweisen, dass mit ihr *wirklich* etwas nicht in Ordnung war.

Ada begann, sich durch sämtliche Ratgeber zu lesen und Therapiestunden abzuhalten mit einer Frau, die große rote Plastikohrringe trug. Die Taucherglocke verschwand dann auch tatsächlich für ein paar Monate. Aber irgendwann, nach der Diplomfeier, nach dem Umzug, an einem verhältnismäßig warmen Nachmittag im Spätherbst, lange vor der Schließung der *Brotbüchse,* als eigentlich alles in Ordnung gewesen war, war sie wiedergekommen. Und seither wurde die Wohnung kleiner von Tag zu Tag, und nicht nur die Wohnung, die ganze Stadt zog sich zusammen, wie Adas Hände sich zur Faust zusammenzogen, wie ihr Herz sich zusammenzog, das unregelmäßig und panisch gegen ihren Brustkorb boxte.

Und nun würde sie also weiteren Raumverlust erleiden: Juris Kühlschrankfach, seine Schuhe im Flur, womöglich seine Pflanzen auf dem Balkon, seine Krümel, Haare, Kleidungsstücke, seine Zahnpastareste neben dem Abfluss. Und all diese Spuren würden auf *sie* gerichtete Feldstecher sein. Es war höchste Zeit, nach München zu flüchten. Ada betrachtete den Knisterhaufen auf ihrem Bett und dachte, dass es gar nicht stimmte, was sie zu Maria gesagt hatte. Sie hatte mit ihrer Angst nämlich sehr wohl etwas Eigenes. Nur war dieses Eigene genau das, was sie loswerden wollte.

Sie machte einen entschiedenen Schritt Richtung Bett. Mit steifen Händen schob sie die Blätter von der Decke und vom Kissen aufs Laken. Sie nahm das Bettzeug, schüttelte es aus und legte es über den Stuhl vor ihrem Schreibtisch. Sie kniete sich hin und begann, die Ecken des Lakens von der Matratze zu lösen, alle vier. Hastig klaubte sie die Katastrophen zusammen und ging mit dem knisternden Bündel zur Zimmertür. Alles still. Schritt für Schritt schlich sie den Flur entlang. Ertappt blieb sie stehen, als Juri seine Zimmertür öffnete und im Pyjama auf den Flur trat. Einen Augenblick sahen sie einander an, dann machte Ada kehrt und ging in ihr Zimmer, sie drückte die Tür fest gegen den Rahmen, atmete ein paarmal ein und aus, das Ohr gegen die Tür gepresst. Aber sie hörte nur das Blut in ihren Ohren, diesen heimlichen Lärm. Sie musste ihr angestochertes Geheimnis loswerden. Jetzt. Kurz entschlossen ging sie zum Fenster, öffnete es und warf das Laken mitsamt seinem Inhalt zwischen die beiden Haselsträucher im Hinterhof.

Im Badezimmer machte sie eine erste Bestandsaufnahme der feindlichen Belagerung: Zwei eigentlich noch saubere schwarze Socken im Wäschekorb, oben an den Bündchen ineinandergestülpt, damit sie beim Waschen nicht verlorengingen. So einer war das also. Weiter: ein Stück blaue Seife auf dem Wannenrand, ein in der Mitte feuchtes und ebenfalls blaues Handtuch, fein säuberlich über die Metallstange unter dem Waschbecken gehängt. In der Waschtasche: Zahnpasta, eine nasse Zahnbürste, Deo, ein kleines Stück Seife in einer Metallbüchse, ein Rasierpinsel, Niveacreme, ein Nagelknipser und vier Kondome in der Seitentasche.

Sorgfältig schloss Ada Juris Waschtasche und stellte sie zurück an ihren Platz. München, dachte sie, bald. Bis dahin galt es, dem Spargeltarzan und seinen Fragen auszuweichen. Und dann, dann würde sie vielleicht endlich neu anfangen können, in einer anderen Wohnung, in einer anderen Stadt, in der niemand von ihrer Tapete wusste.

In dieser Nacht schlief Ada nicht, bis draußen die ersten Vögel ihre Monologe hielten. Sie lag auf der abgezogenen Matratze, ohne Decke und Kissen, mit offenen Augen wie die lidlosen Fische. Ab und zu meinte sie, einer von ihnen würde ihren übermüdeten Blick erwidern.

3
Temperaturen einer Vermutung

Wochenlang probte Ada mit Juri eine weit-
läufige Ausweichchoreographie, Rücken an
Rücken. Juris Anwesenheit war ein unberechen-
barer Virus, der jeden vertrauten Gegenstand, jedes
Zimmer und jede in der Wohnung verbrachte
Stunde zu infizieren drohte, der Ada schwitzige
Hände bereitete und schlaflose Nächte, ein Virus,
von dem sie nicht wusste, wann und mit welchen
Folgen er sich auf sie übertragen würde. Alles in der
Wohnung schien vor diesem Virus zurückzuwei-
chen, sogar der Kühlschrank summte leiser als zuvor. Alles wartete ängstlich auf das Ende der Inku-
bationszeit.

Wenn Ada Geräusche hörte im Treppenhaus,
verschwand sie sofort in ihrem Zimmer oder im
Bad. Durch verschlossene Türen hindurch hörte
sie Juri Flaschen öffnen und Fenster, sie hörte ihn
Zähne putzen und seine Stiefel reißverschließen,
bevor er zu irgendeiner geregelten Arbeit ging, sie
kannte den Geruch seines Duschdampfs und seines

Kopfkissens, kannte das Inventar seines Zimmers, in dem nichts wirklich Abartiges zu finden war, weder in der Schreibtischschublade noch unter der Matratze. Die Wäsche in seinem Schrank roch gewaschen, jede Woche lag einer seiner drei Pyjamas unter dem Kopfkissen und Sonntagabend im Wäschekorb neben der Wanne im Bad. Ein bisschen seltsam war, dass Juri immer wieder Instrumente anschleppte, zuletzt ein Fagott, dass er die Möbel in seinem Zimmer fast täglich umstellte, Bilder auf und ab oder verkehrt herum an die Wand hängte, dass er fast jeden Tag seine Schallplatten und Bücher neu ordnete, manchmal sogar die Wäsche in seinem Schrank, einmal hatte er alle Socken fein säuberlich aufgebügelt. Entweder, dachte Ada, hatte er ihre Streifzüge durch sein Zimmer bemerkt und wollte sie verunsichern, oder es gab sonst einen bizarren Grund, warum er sein Hab und Gut mit solcher Inbrunst kuratierte.

Mit allen Mitteln hatte Ada versucht, das kontaminierte Gebiet zu desinfizieren und Juri loszuwerden. Sie hatte sämtliche ausgekämmten Haare gesammelt, sie nass gemacht und dann um den Abfluss in der Badewanne und im Waschbecken drapiert, Tag für Tag, sie hatte Esswaren in der Bratpfanne verkohlen lassen, um die Flur- und Küchenluft zu verpesten, Tisch und Boden hatte sie mit hartem Brot verkrümelt. Sie hatte Käfer und Ameisen gesammelt und sie in Juris Zimmer ausgesetzt, hatte *aus Versehen* Kaffee über seine Post gekippt oder den Schlüssel von innen stecken lassen, den Abwasch und ihre Mahlzeitreste hatte sie so lange stehenlassen, bis Juri alles auf ihrem Bett deponierte. Und als er zum x-ten Mal Besuch hatte von wieder einer anderen Frau, die wieder durch die Wohnung latschen und alles anfassen und anschauen und überall ihre Spuren hinterlassen würde, lief sie nackt in sein Zimmer und sagte: »Schatz, weißt du vielleicht, wo das Paniermehl ist?« Die Frau war keine drei Minuten später gegangen. Aber Juri nicht. Juri war resistent gegen Adas Desinfektionsmittel. Er war dageblieben und hatte die Käfer und Ameisen in Adas Pyjamafach ausgesetzt, bei nächtlichen Besuchen einen Stuhl unter die Klinke gestellt, seine abgeschnittenen Fingernägel absichtlich auf dem Küchentisch und seine abrasierten Bartstoppeln im Waschbecken liegenlassen, zumindest bis zum nächsten Frauenbesuch.

Adas Körper verkrampfte sich zunehmend von Tag zu Tag, ihre Fäuste verkrampften sich, ihr Nacken, ihr Lachen. Und die Stunden, die sie mangels eines Therapiezimmers in den Wartezimmern irgendwelcher Allgemeinärzte verbrachte, wo es nach Desinfektionsmittel und Zeitschriften roch und wo es jedem, der da saß, gesundheitlich schlechter ging als ihr; sogar diese Stunden trugen wider Erwarten nicht zu ihrer Entkrampfung bei. Das Einzige, was lindernd näher rückte und dann endlich als Rettungsversprechen rot umkreist im Kalender stand, war das Vorsprechen in München.

»Heute ist ein wichtiger Tag«, flüsterte Ada ihren Fischen zu, »drückt mir die Flossen, dann ziehen wir um nach München.«

Verschlafen prüfte sie noch einmal den Inhalt ihrer Reisetasche, die Perücke, die beiden Kostüme, die Texte, zwei Pyjamas, die Waschtasche, alles da. Ada zog den Reißverschluss zu, öffnete leise ihre Zimmertür und lauschte in den Flur: Alles still. Keinesfalls wollte sie Juri jetzt noch einmal begegnen. Nur in die Küche wollte sie noch und in seinem Kühlschrankfach nachsehen, ob irgendetwas darin sich als Reiseproviant eignete.

Auf halbem Weg zur Küche kam ihr eine junge Frau in Juris Pyjamaoberteil entgegen, die lasziv verlegen ihren blonden Pilzschopf ordnete.

»Hast du Juri gesehen?«, fragte sie, »eben war er doch noch da.«

Ada schüttelte den Kopf, »keine Ahnung, wo der steckt«, sagte sie, »tut mir leid.«

Was nicht gelogen war. Was sie ihr nicht sagte, war, dass es auch Frauen gab, denen Juri Frühstück machte, jedenfalls zwei-, dreimal, danach hatte die Sache sich meistens erledigt. Diejenigen, die ihn am Morgen vergeblich in der Wohnung suchten, brachte er kein zweites Mal mit nach Hause. Mit denen durfte *sie* sich dann herumschlagen, ihnen Mitleidskaffee machen und falsche Hoffnungen, hier, ein sauberes Handtuch, jaja, er kommt bestimmt bald, nur zu, fühl dich wie zu Hause.

Ada drückte sich mit dem geklauten Proviant an der jungen Frau vorbei ins Treppenhaus. Sie war zu spät dran und zu nervös zum Lügen. »Mittags kommt er meistens nach Hause«, sagte sie und schloss hastig die Tür hinter sich.

Erst, als der Zug aus dem Mannheimer Bahnhof rollte und Ada den Umstieg ohne Verspätung hinter sich hatte, legte sich ihre Nervosität ein wenig, sie ließ ihre Reisetasche los und zog die Jacke aus; jetzt konnte sie sitzen bleiben bis München.

Die Fensterscheiben füllten sich nahtlos mit Landschaft, mit Bäumen und Wiesen, die sich allmählich vom Schnee des abklingenden Winters erholten und nun fast schon protzig auf den Frühling hin grünten.

Das Blatt, das Ada vor sich auf die Knie legte,

war vom langen Festhalten feucht und an den Falt-
stellen brüchig geworden. Noch einmal überflog
sie die Einladung, die sie längst auswendig konnte,
das schlichte Emblem oben links auf der feuchten
Briefstirn, dann faltete sie das Blatt in immer kleinere, schiefe Rechtecke. *München.* Das Wort kit-
zelte sie nun von innen, schoss heiß durch ihren
Bauch. Sie wandte den Blick wieder zum Fenster.
Seit je mochte sie es, Dinge durch Scheiben zu betrachten. Scheiben schafften Distanz. Sie wählten
Szenen aus und grenzten sie ein, vor einer Scheibe,
stehend oder sitzend, fiel die Verantwortung für
eine Weile von ihr ab. Die Silhouetten der vorbei-
zuckenden Bäume legten ein Gitter über die täg-
lichen Ausweichchoreographien zwischen ihr und
Juri, über *Mord an Bord* und das ständige Warten
darauf, dass ihr Leben endlich begann. In ein paar
Stunden würde das Warten vielleicht vorbei sein.
Und vielleicht würde sich ja auch die Angst auflösen, in eine Zukunft mit Namen im Programmheft,
mit ihrem Gesicht auf Plakaten und einer regelmäßigen Lohnabrechnung, vielleicht würde diesmal
alles anders werden.

Sie spürte das Vibrieren der Schienen im Kreuz
und wurde ruhig. Sie reiste. Reisen war meerwärts
gerichtet, auch in der bedeutungslosesten Provinz.
Weg war immer meerwärts, unterwegs war meer-

wärts, in der Fortbewegung lag die Möglichkeit eines Meeres. Meerwärts gab es nur mäßigen Wind und nackte Arme. Meerwärts lag die Möglichkeit, Zustände zu benennen und mit einem zufriedenen Seufzer die Jacke auszuziehen. Meerwärts lag die Gewissheit, jemand zu werden, lag die Welt, auf die es zu kommen galt.

Während des Studiums, vor allem in den Prüfungsphasen, war sie oft in Grenzzüge gestiegen, wenn die Unmöglichkeit, an einem Ort, in einer Situation zu verharren, sich über ihre Schultern geworfen hatte wie ein viel zu dicker Mantel. Irgendwann hatte sie begonnen, die Städte auszulassen und ihren Aufenthalt auf die Bahnhöfe zu beschränken, auch wenn die Städte sie noch immer anzogen, mit ihrem Versprechen, sie zu schlucken und zu verdauen in ihren verwinkelten Mägen. Im Grunde hatte Ada im Ausland nach einer Weile immer nur noch gewartet. Sie hatte die Nächte durchgemacht in Hotelzimmern mit hässlicher Tapete, bis ihre Angst mit der Nacht von den Dächern gefallen war. Aber über die Grenze, das beruhigte sie, das hatte sich bewährt; war auch jetzt noch wie Fenster auf, Kleider aus, Zähneputzen.

Ada schloss die Augen und lehnte die Schläfe gegen das kühle Glas. Genau so mussten sich Fische im Aquarium fühlen: Schattenspiele auf der

Netzhaut, leichte Vibrationen, die sich im Körper ausbreiteten, und in den Ecken der Wahrnehmung ein Rauschen. Alles hätte sich auflösen können in diesem Rauschen. Wenn da nicht plötzlich dieses Stechen gewesen wäre, aufdringlich und pulsierend, ein Stück unterhalb ihrer Kniekehle. Wenn nicht Verzweiflung sie gepackt hätte, weil sie wusste, dass sie dieses Stechen nicht würde ignorieren können, weil sie wusste, was jetzt kam und nichts dagegen tun konnte, sie war machtlos gegen die aufkommende Vorstellung, dass dieses Stechen ihr Leben bedrohte, gegen ihre Einbildungskraft, die sich offenbar auf ihre Vernichtung spezialisiert hatte. Sie versuchte trotzdem, sich abzulenken, kramte eines der Wachteleier, die sie in Juris Kühlschrankfach gefunden hatte, aus ihrer Tasche und begann, es zu schälen.

Wenn sie gewusst hätte, woher diese Ängste kamen. Schon als kleines Mädchen hatten sie ihr aufgelauert, wenn auch noch formloser und zuerst nur nachts. Sie sah sich am Bett ihrer Eltern stehen, beide lagen mit dem Rücken zu ihr, das ferne Rauschen der Autobahn durchs Fenster. Sie hatten sie nicht kommen hören. »Mama«, sagte Ada, keiner bewegte sich. »Mama«, sagte sie noch einmal, lauter diesmal. Sie hörten sie nicht. »Papa«, sagte sie, und ihr Vater drehte sich um.

»Mienchen, was ist denn«, sagte er, »es ist mitten in der Nacht.«

»Ich kann nicht schlafen«, sagte Ada.

»Warum?«

»Ich habe Angst.«

»Wovor?«

»Ich weiß es nicht, einfach Angst.«

»Leg dich wieder hin«, sagte ihr Vater, »denk an etwas Schönes.«

Ihre Mutter bewegte sich, murmelte etwas, das klang, wie: »Einfach hinlegen …«

Ada ging die Holztreppe wieder runter, machte das Licht an im Flur und ließ ihre Zimmertür offen. Schlafen konnte sie nicht.

Irgendwann hörte sie auf, ihre Eltern, Großeltern, Freunde zu wecken. Sie drückte gar nicht erst Klinken runter, blieb einfach liegen und wartete. Darauf, dass es vorbeiging.

Das Glas war kühl an ihrer Stirn, Ada zog den Kopf zurück, ihr Blick irrte durch die kleine Zugtoilette, ihre Hände krallten sich am nassen Waschbecken fest, sie versuchte, ihren Blick im Spiegel zu fixieren, ihr Atem schlug gegen das Spiegelglas und hinterließ dort einen nebligen Film; sie hörte ihn laut in ihrem Kopf, diesen Atem, weil die Taucherglocke ihn gefangen hielt, und sie griff an ihre Kniekehle, dorthin, wo das Stechen herkam, doch da war nichts außer dem Stechen, keine Wölbung, keine Verhärtung; nur die Hose, die nicht zu eng saß, die nicht schuld sein konnte an diesem Stechen, deshalb musste der Schmerz von innen kommen, aus dem Hautgewebe oder einer Ader. Du hast zu lange gesessen, Ada, da hat sich ein Gerinnsel gebildet in deinem Bein, eine Thrombose, und wenn du dich jetzt bewegst, dann wird der Klumpen in deinen Körper gepumpt, hoch in dein Herz oder in dein Gehirn, du musst nachsehen, Ada, sofort nachsehen, ob alles normal aussieht, damit du reagieren kannst, keinen Schlaganfall bekommst, hier in der Toilette, wo niemand dich findet. Ada schwankte, legte einen Arm über die Augen, roch jetzt Waschpulver und Rauch in ihrem Ärmel, daher kommt das, Ada, die verstopften Arterien, von der elenden Qualmerei; ihr Blick suchte den kleinen Raum ab, zeigte Schmutz an den Wänden, Schuhschmutzmuster auf dem nassen Boden, du musst die Hose ausziehen, dir dein Bein ansehen, so schnell wie möglich, mach schon, machmachmach. Ada ließ sich in die Knie sinken, vorsichtig, ohne mit dem Mantelsaum den Boden zu streifen, ungeschickt entknotete sie ihre Schnürsenkel, sie musste diese Schuhe loswerden, zuerst die Schuhe, dann die Hose. Sie starrte auf ihre Füße, die sie aus den Schuhen zog, die nackt waren, ganz ohne Socken, weil sie es so eilig gehabt hatte, aus dem Haus zu kommen, auf gar keinen Fall durfte sie sich jetzt barfuß da hinstellen, in den nassen Schmutz; sie musste mit den Füßen in den Schuhen bleiben, und sie griff nach dem Toilettenpapier, zupfte Blatt für Blatt aus dem Behälter, dünnes Papier, fein bepustelt wie Gänsehaut, und sie legte die Blätter aus auf dem Boden, eins nach dem anderen, schön dick, bis der Schmutz sich nicht mehr durchsaugte, so ist es gut, und jetzt hör auf zu zittern, die weisen dich ein, Ada, schau dich nur an, wenn das einer mitbekommen würde, wie du hier kniest und Blätter zupfst, die sedieren dich, die sperren dich ein, vor die immer gleiche Aussicht, und jetzt zieh die Schuhe aus, stell dich aufs Papier und zieh dein Bein aus der Hose, alles wird gut. Aber der Zug scherte aus seiner gleichmäßigen Bewegung und warf sie gegen die schmutzige Tür, ihr rechter Fuß trat mitten in den nassen Schmutz, sofort zog sie den Fuß zurück aufs Papier, einfach ausatmen jetzt, du musst ausatmen, Ada, sonst kippst du weg; sie starrte auf ihr Bein, das noch immer in der Hose steckte, in dem noch immer dieser stechende Schmerz pochte, und sie legte noch einmal den Arm über die Augen, suchte in der Erinnerung nach einem Bild ihrer Mutter, auf dem sie beruhigend aussah, sah sie im Nachthemd am Küchentisch sitzen und bedächtig eine Grapefruit löffeln, deine Mutter beruhigt dich nicht, hat dich noch nie beruhigt, sie schweigt, Ada, du hast das Gefühl für ihre Sprache verloren. Ada hob den schmutzigen Fuß ins Waschbecken, zuckte zusammen unter dem kalten Wasser, stieß sich den Ellbogen an der Toilettenwand. Vergiss nicht die Hose, Ada, sie muss weg, du weißt, was eine Thrombose anrichten kann, da geht es um Minuten. Sie drückte am Seifenspender herum, ließ Wasser über ihren Fuß laufen, immer wieder, Seife war keine da, sie trocknete den Fuß mit Klopapier und blieb einbeinig stehen, sie bekam den Bund ihrer Hose am Steißbein zu fassen, zog daran, rollte den Stoff bis zu den Knöcheln, zog die Hose am linken Bein aus, untersuchte Stück für Stück ihren Unterschenkel und die schmerzende Stelle, aber da war nichts, rein gar nichts, durch das Reiben mit der Hand wurde das Stechen sogar weniger und löste sich auf nach und nach, wie der kondensierte Atem auf dem Spiegelglas sich aufgelöst hatte.

Wenn dich jetzt einer sehen könnte. Du bist krank, Ada, ernsthaft krank.

Zittrig zog sie sich an, ihr Herz schlug hart und unregelmäßig in ihren Hals, gleich würde es sich zusammenkrampfen und ganz stehenbleiben, daran würde es nämlich kaputtgehen, an dieser unnötigen, panischen Abnutzung. Ada atmete leise und flach, sie stieß die Toilettentür auf, unter ihr schwankte der Zugboden, die Landschaft flog vorbei, ein grünes Band, das sie in den Augen schmerzte, und ihre Arme kribbelten, waren ganz leicht und kraftlos, auch ihr Kopf hatte kein Gewicht, schien auf den Halswirbeln nicht festzusitzen.

Als sie zwischen all den Passagieren im Gang stand, neben dem Sitz, auf dem noch ihre Tasche lag und darauf das halbgeschälte Wachtelei, war ihr, als hätte eine Kamera ihren Aussetzer in der Toilette direkt ins Abteil übertragen. Weit weg hörte sie die Lautsprecherdurchsage, die den nächsten Halt ankündigte.

Als ihr Blick einige der scheinbar überlegenen Passagiergesichter streifte, gesellte sich zu der Angst in ihrem Bauch auf einmal eine drückende, verklumpte Wut. Wut auf die Bilder, die durch ihren Kopf jagten, sie vor sich herjagten, durch Züge, Straßen, Zimmer, Stunden, Wut auf die anderen Passagiere, deren Gewicht dumpf auf die Polster drückte, die dröge die Beine ausstreckten und ihre rechtschaffene Feierabendlichkeit öffentlich kundtaten, Wut auf ihre ordentlich besockten Füße, ihr Vertrauen in Fahrpläne, Gratisblätter und prophylaktische Untersuchungen, auf die Sicherheit, in der sie sich wiegten, eine Sicherheit, die Ada ausschloss; Wut auf sich selbst, auf die Bilder hinter ihrer Stirn, die sie immer wieder wegdrängten von einer möglichen Zukunft ohne Taucherglocke, ohne diese ständige Demütigung vor sich selbst. Ada setzte sich zurück an ihren Platz und begann, in der kostenlosen Reisezeitschrift zu blättern, die auf dem Nebensitz lag. Allmählich beruhigte sie sich, ihre Atemzüge wurden tiefer. Sie würde in München einen Gegenbeweis ihrer Feigheit erbringen und endlich wieder etwas Eigenes haben, auf das sie stolz war.

Noch einmal ertönte die Lautsprecherdurchsage: Nächster Halt Rosenheim.

Ada erschrak. Hastig griff sie nach dem Reiseplan in der Tasche des Vordersitzes. Zweimal fuhr sie die Strecke mit dem Finger nach. Es bestand kein Zweifel. Sie hatte München verpasst.

Als der Zug zum Stehen kam, trottete Ada den anderen Passagieren hinterher zum Ausgang. Auf dem Bahnsteig blieb sie stehen, das halbgeschälte Wachtelei in der einen, die Tasche in der anderen Hand. Sie sah zu, wie die Türen sich klickend verriegelten, und lauschte dem Zittern des Zuges nach, das sich im Nachmittag verlor, landeinwärts.

4
Die Folgen verhängnisvoller Andacht

Es war das Xylophon des Nachbarjungen, das Ada am nächsten Morgen weckte, immer wieder dieselbe Melodie, der Fehler immer an derselben Stelle. Ada schluckte, ihre Mundhöhle war knittrig und trocken, schlaftrunken tastete sie mit der Hand nach ihrer Kniekehle, wo der Stoff ihrer Jeans feucht war und sie daran erinnerte, wie sie im Morgengrauen angezogen und mit leichtem Schwindel in der leeren Wanne gesessen hatte. Sie erinnerte sich an Juri, der am Waschbecken gestanden hatte, und an das Ratschen der Rasierklinge über seine Bartstoppeln. Er musste sie ins Bett gebracht haben, auch das noch, sie kannte ihn ja kaum, wusste nicht einmal, was er eigentlich trieb, den ganzen Tag. Und gerade, als sie versuchte, sich Juri hinter einer Fischtheke vorzustellen, war die Schonfrist der ersten wachen Sekunden vorüber, und alles fiel ihr wieder ein: Wie das Wort *München*, das sich so warm und leicht angefühlt hatte in ihrem Bauch, kalt und sperrig wurde, als hätte sie eine Heckenschere verschluckt. Das sinnlose Herumdrücken am Snackautomaten, unten in der Bahnhofsunterführung, Kondome und zwei Schokoriegel, das Funktionieren dieser Maschine, das sie für ein paar Sekunden beruhigt hatte. Wie sie sich fremd vorkam am Abend in der Stadt. Später die Enge der Nacht unten am Hafen, drückend, wie zu kleine Schuhe. Wie sie sich eine dicke Scheibe gewünscht hatte zwischen sich und diesen Tag, die es ihr erlaubt hätte, die Ereignisse mit Abstand zu betrachten. Sie hatte das Gefühl, in sich hineinzufallen, und sie wünschte sich zu den Fischen ins Rheinwasser, die einander auswichen und wussten, was sie zu tun hatten.

Und dann die Wohnung, von der sie sich längst verabschiedet hatte, die alten Hoffnungen, in die sie zurückgeschlüpft war wie in schmutzige Kleidung, beschämt, mit gerümpfter Nase und schlechtem Gewissen. Und Juri, den sie komplett vergessen hatte, der sich fertigmachte, um zur Arbeit zu gehen, »zur Arbeit«, so hatte er es gesagt, und es hatte wie ein Vorwurf geklungen.

Schwerfällig stand Ada auf und ging zum Fenster. Alles war wie zuvor, die Wohnung zahnte wieder, und die Stadt schien weitab von der Gegenwart. Mit dem Daumennagel kratzte Ada einen Schmutzfleck von der Scheibe. Allein sein als Übung, dachte sie, als Warten auf. Die Wohnung voller Wartezimmer. Und die Welt, auf die es zu kommen gilt: immer gerade anderswo.

Sie stützte sich mit den Händen auf der kalten Fensterbank ab, um besser auf die Straße sehen zu können; vielleicht hatte ja das Quartiertheater ein wenig Ablenkung zu bieten. Sie fand es ein außerordentliches Vergnügen, wenn etwa der O-beinige Italiener von gegenüber versuchte, seinen Abfall mit Hilfe einer Schnur und eines Kleiderbügels auf die Straße abzuseilen, um sich so die Treppe zu ersparen, sich der Kleiderbügel dann aber in der Öffnung des Abfallsacks verhakte und die Schnur sich nicht mehr einholen ließ, wenn der Italiener sich dann weit über die Balkonbrüstung beugte und den Sack, im Versuch, die Verhakung zu lösen, an der Schnur hin und her schwenkte, wenn ein Ende des Kleiderbügels allmählich ein Loch in den Müllsack bohrte und vereinzelte Abfälle auf die Straße kullerten, der Italiener die Schnur am Balkongeländer anbinden und nun doch die drei Stockwerke hinunterlaufen musste, und wenn dabei die alte rothaarige Dame über dem Friseursalon an der Ecke mal wieder die Fenster putzte, um den Kopf schütteln zu können über das, was in der Nachbarschaft vor sich geht und also auch über den Italiener mit dem

Hausabfall, dann überkam Ada ein wohliges Applaudiergefühl.

Nur tat sich gerade nichts auf der Straße, die Schauspieler machten wohl Mittagspause, jedenfalls roch es ringsum nach Gebratenem und Gedünstetem, nach gedeckten Tischen. Das Quartiertheater hatte die Vorhänge zugezogen. Eine Weile stand sie so in der Quartierhalbstille, die Stirn gegen die Scheibe gelehnt. Dann zog sie den Kopf abrupt zurück. Sie kannte dieses Fensterlehnen.

Manchmal war ihre Mutter stundenlang oben im Zimmer verschwunden, mitten am Nachmittag. Zurück blieb ein Berg Bügelwäsche auf dem Sofa oder Kaffeewasser, das auf dem Herd weiterkochte. Ada drehte das Gas ab oder begann zu bügeln, die Taschentücher zuerst, danach die Handtücher, manchmal auch T-Shirts. Sie kniete sich auf einen Stuhl, um das schwere Bügeleisen besser halten zu können. Sie liebte das Zischen der Dampfwolke, die ausgestoßen wurde, wenn sie auf den kleinen blauen Knopf drückte, das leise Glucksen des Bügeleisens, den Geruch von frischer Wäsche, der sich durch die Hitze noch verstärkte; wie die Falten verschwanden und die Stoffe durchsichtiger wurden. Durch die Taschentücher hindurch konnte sie das Blumenmuster des Bügelbretts erkennen.

Ada brauchte nicht nach ihrer Mutter zu sehen, sie wusste, was sie tat. Sie stand auf Zehenspitzen vor dem Spiegel, die Füße in den rosa Schuhen durchgedrückt. Vogelfüße, dachte Ada und dann daran, dass Vögel hohle Knochen hatten. Konzentriert stand ihre Mutter vor dem Spiegel und posierte. »Relevé«, sagte sie dabei laut. Oder sie machte Kreuzschritte und sagte dazu im Takt: »Pas de bourré, Pas de bourré, Tendu!« Dann bückte sie sich, und alles an ihr wurde kürzer, sie zog die Schuhe aus, wickelte sie in graues Seidenpapier und verstaute sie in einer schwarzen Schachtel. In Strumpfhose und Unterhemd ging sie zum Fenster. Dort stand sie, die Stirn gegen die Scheibe gelehnt. Sie reagierte nicht auf den Lärm eines vorbeifahrenden Autos oder der Kirchglocken. Irgendwann begannen ihre Schultern zu zittern. Wie ein Vogel mit Fieber, dachte Ada. Ihre Mutter zog die Nase nicht hoch, wischte die Tränen nicht weg. Und Ada dachte, dass man so nur weinte, wenn man ganz sicher war, dass einen niemand beobachtete.

Irgendwann kam ihre Mutter dann in die Küche, lächelnd, die Lippen frisch geschminkt. »Das sagen wir aber Papa nicht«, sagte sie, »dass ich so lange oben war, ja, sonst wird er böse.« Und Ada hatte genickt, wie jedes Mal, obwohl ihr Vater noch überhaupt nie böse geworden war.

Ada schluckte. Sie wollte nicht weinen und versuchte, die Schmutzflecken auf der Fensterscheibe zu zählen. So weit kommt's noch, dachte sie, dass ich mich in meine Vogelmutter verwandle. Und sie erinnerte sich daran, wie sie viel später, an einem heißen Tag, auf den schmalen Rücken ihrer Mutter geschaut hatte, die mit der Fußspitze auf dem Parkett einen Kreis um sich gezogen hatte, als wollte sie eine Grenze markieren.

»Du kannst dir nicht vorstellen, wie beweglich ich mal war«, hatte sie gesagt, »ich konnte mich verbiegen wie ein Stück Basteldraht, bevor ich schwanger wurde und fett und ungelenkig.«

»Alles in Ordnung?«

Ada zuckte zusammen und drehte sich zur Tür, Juri stand im Rahmen, die Hände in den Taschen. Das hatte ihr gerade noch gefehlt, dass jetzt einer dieser Bordsteinschatten durch ihre Wohnung huschte, dass da einer dieser selbstgefälligen Arbeitnehmer in ihrer Zimmertür stand und ihr vorhielt, dass sie nichts tat und ihr Leben eine einzige in die Länge gezogene Rauchpause war. Genau das hatte ihr noch gefehlt, dass dieser dürre Lulatsch sie weinen sah. Ada zog die Nase hoch. »Wie lange stehst du schon da?«

»Ich wollte nur fragen, ob du Hunger hast«,

sagte Juri, »ich mache Mittagspause, geht es dir gut?« Ada wischte sich mit dem Ärmel die Tränen vom Gesicht.

»Ich dachte ja, du seist in München«, sagte Juri, »du bist gestern in der Wanne eingeschlafen, ich hab dich dann –«

»Das kannst du dir in Zukunft sparen«, fiel Ada ihm ins Wort, »mich durch die Gegend zu tragen, es reicht schon, dass du hier sonst alles angrapschst.«

»Ich hab dich nur geweckt, weil ich mich nicht nackt zu dir in die Wanne stellen und dich nass duschen wollte«, sagte Juri.

Ada spürte, wie die Tränen wieder gegen ihren Kehlkopf drückten. »Ich *war* in München«, sagte sie, »ich habe den Job bekommen und reise noch diese Woche ab, jetzt bin ich ein bisschen abschiedsduselig, das ist alles.«

»Dann hätten wir das ja geklärt«, sagte Juri und ging in die Küche.

Ada griff nach ihrem Mobiltelefon und drückte die grüne Taste, die Nummer erschien auf dem Display, drei blinkende Fortsetzungspunkte zeigten an, dass die Verbindung nach München aufgebaut wurde.

»Der Intendant ist beim Mittagessen«, sagte die

Dame am anderen Ende der Leitung, »worum geht es denn?«

Ada schluckte. »Um einen Termin«, sagte sie.

»Aha«, sagte die Dame, »kann ich vielleicht etwas ausrichten?«

»Ja«, sagte Ada, »vielleicht, also wegen dem Vorsprechen gestern, könnten Sie bitte fragen, ob es möglich wäre – könnten Sie sagen, dass ich im Zug leider eine – dass ich gerne –«

»Verzeihung«, sagte die Dame, »was genau soll ich ausrichten? Sind Sie noch da?«

»Ja«, sagte Ada, »sicher, also wegen dem Vorsprechen gestern: Leider hat es mit meiner Zugverbindung ein Problem gegeben, und deshalb wollte ich fragen, ob es möglich wäre, den Termin allenfalls in den nächsten Tagen wahrzunehmen?«

»Das wird nicht nötig sein«, sagte die Dame, »der Intendant hat seine Wahl bereits getroffen.«

Ada nahm das Telefon vom Ohr und drückte auf den roten Knopf. Sie öffnete eine der Fischfutterdosen, ließ das Telefon hineingleiten und schraubte den Deckel zu. Buntbarsche, dachte sie, Mondsalmler, Messerfische, Süßwasserflundern, ein Besuch in der Zoohandlung war ganz eindeutig das Einzige, womit dieser Tag noch ansatzweise zu retten war.

Gegen sechs Uhr abends kam Ada etwas besser gelaunt und hungrig aus der Stadt zurück, ihr Ausflug war ein voller Erfolg gewesen, zumindest, wenn sie von den Kosten absah, die er verursacht hatte. Aber wenn sie an die beiden tellergroßen Diskusfische dachte, an die pechschwarzen Streifen auf ihrem türkisfarbenen Schuppenkleid, an die Eleganz, mit der sie sich durchs Wasser bewegten, entschied sie, dass sie die neunhundert Franken pro Fisch und die größer werdende Zahl hinter dem Minuszeichen auf ihrer Kontostandanzeige irgendwie verkraften würde.

Ihr Kühlschrankfach war allerdings leer, bis auf ein paar verschrumpelte Karotten und ein Glas, in dem drei uralte Kapern schwammen, ganz hinten stand ein halbleerer Becher mit Erdbeerjoghurt, in dem noch der Löffel steckte. Ada griff in Juris Fach und suchte nach der Gemüsequiche, die er vor zwei Tagen gebacken hatte, für eine pausbackige Schwedin, die zum Frühstück hatte bleiben dürfen. Die Quiche war in einer Tupperdose verstaut und zusätzlich mit Klarsichtfolie umwickelt. Ada lachte. Dieser Mann besaß tatsächlich Tupperdosen. Sie musste an ihren Spaziergang durch die Einkaufspassage denken. Ab und zu war sie vor der Auslage eines Schaufensters stehen geblieben, vor Eierbechern mit kleinen Füßen oder eben Tupperdosen in verschiedenen Farben, vor Dingen, die für Menschen gemacht waren, die einen Alltag hatten und einen bestimmten Platz im Schrank für Servietten, die mit kleinen Hirschen bedruckt waren oder mit bunten Pfefferschoten. Für Menschen, wie sie hinter den Scheiben der Cafés saßen, vor dampfenden Kaffeetassen oder einem frühen Mittagessen, weil sie einen Großteil ihrer Arbeit noch vor oder bereits hinter sich hatten, deren Gespräche in der warmen Caféluft kondensierten und sich an den Scheiben festsetzten, durch die Ada sie mit einer Mischung aus Neid und Verachtung beobachtete. Menschen wie Juri, dachte sie. Aber die Quiche schmeckte köstlich, das musste sie ihm lassen.

Als sie Schritte im Treppenhaus hörte und dann den Schlüssel in der Wohnungstür, stellte sie die Tupperdose schnell zurück in den Kühlschrank. Sie hörte das Klackern von Juris Stiefeln im Flur, das Rascheln seines Mantels, dann war es still. Offenbar war er in seinem Zimmer verschwunden. Als sie zuerst das Ratschen des Duschvorhangs und dann das Geräusch von fließendem Wasser hörte, schreckte sie auf. »Halt«, rief sie und rannte ins Badezimmer.

Juri stand neben dem Waschbecken und bückte sich scheinbar angeekelt über die Wanne, in der die beiden Diskusfische gemächlich ihre Bahnen zogen. Ada verschränkte die Arme vor der Brust.

»Was hast du vor?«

»Duschen«, sagte Juri. Er hatte das Waschbecken mit Wasser gefüllt und drehte den Hahn zu.

»Bist du wahnsinnig«, rief Ada, »du kannst die Fische doch nicht einfach in stinknormales Leitungswasser werfen, das sind keine Gummienten, die brauchen eine bestimmte Wasserhärte, eine bestimmte Temperatur, glaubst du, der Filter hängt da zur Dekoration?«

Juri hob den Filter seelenruhig aus dem Wasser und setzte ihn ins Waschbecken, dann griff er nach dem Fangnetz, das an der Wannenwand lehnte, wo Ada es vergessen hatte. Er krempelte die Ärmel hoch. »Ich kann damit leben«, sagte er, »dass du mein Kühlschrankfach leer frisst, dass du mein Waschmittel benutzt, die Küche vollqualmst, überall deine Haare verteilst, mir die Frauen vergraulst und mir aus dem Weg gehst, als wäre ich irgendwie ansteckend. Aber das da«, er kreiste mit dem Zeigefinger die Wanne ein, »das geht zu weit.«

»Meine Güte«, sagte Ada, »wasch dich doch da.« Sie zeigte aufs Waschbecken.

»Ich habe den ganzen Tag in der Goldschmiede gesessen«, sagte Juri, während er sich gelassen Stiefel und Socken auszog, »ich bin dreckig von oben

93

bis unten, siehst du«, sagte er und fuhr sich mit den Händen durch die Haare, dass es nur so staubte, »heute Morgen hast du da gelegen«, er zeigte auf die Wanne, »jetzt sind da diese Viecher drin, wer weiß, was mich als Nächstes erwartet.«

Ada schwieg und wich Juris Blick aus. Als sie sich ihm wieder zuwandte, hatte er schon einen der Diskusfische im Fangnetz aus dem Wasser gehoben.

»Spinnst du«, rief Ada und versuchte ihm das Netz abzunehmen. Aber Juri wich ihr aus und ließ den Fisch ins Waschbecken gleiten.

»Von meinem Großvater weiß ich, dass die deswegen nicht gleich mit dem Bauch nach oben schwimmen«, sagte er, während er sich mit dem Netz an den zweiten Fisch heranpirschte, »der hat mich oft genug mit ins Vivarium geschleppt und mir Vorträge gehalten.«

Ada musste sich zurückhalten, um Juri das Netz nicht aus der Hand zu reißen, sie wollte den Fisch nicht verletzen.

»Warum kaufst du dir eigentlich Fische, wenn du Ende der Woche die Stadt verlässt«, fragte Juri, »das macht überhaupt keinen Sinn.«

»Das mit der Sinnsuche«, sagte Ada, »sollte jeder für sich selbst regeln, findest du nicht?«

Juri betrachtete den zweiten Diskusfisch, den er eben aus der Wanne gezogen hatte. »Ich habe schon meinen Großvater nicht verstanden«, sagte er, »das sind doch vollkommen nutzlose Tiere, solange sie nicht auf dem Teller liegen. Die kann man nicht streicheln, die geben keine Milch, die sehen den ganzen Tag nur aus, als müssten sie sich mühsam wachhalten, und kosten trotzdem ein Vermögen. Die kennen noch nicht einmal den Unterschied zwischen nass und trocken, respektive, sie kennen ihn erst, wenn es für sie zu spät ist.«

Adas Augen füllten sich ganz plötzlich mit Tränen, ohne dass sie etwas dagegen tun konnte. Sie spürte wieder das Drücken der Heckenschere im Bauch und vergrub das Gesicht in den Händen, hinter denen sie sich am liebsten ganz versteckt hätte. Sie hörte, wie Juri zum Toilettenpapierspender ging und ein paar Blätter abzupfte. »Hier«, sagte er und streckte ihr das Papier hin. Ada nickte, griff nach dem Toilettenpapier und setzte sich auf den Wannenrand. Sie betrachtete die kleinen Pusteln auf dem Toilettenpapier, dieselben Pusteln wie auf dem Papier in der Zugtoilette, von denen kein Mensch wusste, wozu sie nutze waren.

»In der Zoohandlung habe ich nicht nachgedacht«, sagte sie, »ich fand die Fische nur so unglaublich schön, und als die Verkäuferin mir den Preis genannt hat, waren sie schon eingepackt, ich konnte sie doch nicht einfach dalassen. Das Aquarium, das ich anschaffen müsste, kann ich mir im Leben nicht leisten, und bei den Neonsalmlern ist kein Platz. Aber das sind besondere Fische, eine Zeitlang dachte man, sie fressen ihre Jungen, bis man irgendwann herausgefunden hat, dass die kleinen sich vom Hautsekret im Mund ihrer Eltern ernähren. Nur habe ich mir nicht so genau überlegt, wovon *ich* mich ernähren soll, bis ich die Rechnung abbezahlt habe.«

Juri setzte sich neben sie auf den Wannenrand. »Bring sie halt einfach zurück«, sagte er.

»Das sind Fische«, sagte Ada, »keine Pullover.«

»Du musst es nur klug anstellen«, sagte Juri. »Ich habe mir schon mal ein Harmonium liefern lassen und es nach zwei Tagen wieder zurückgegeben.«

»Du spielst Harmonium?«, fragte Ada.

Juri schüttelte den Kopf, »nein, ich kann überhaupt nichts spielen, aber Instrumente faszinieren mich, das Material, die Formen, die ganze funktionierende Erfindung. Ich finde es entspannend, laut und falsch auf einem Instrument zu spielen, das mir nicht gehört.«

»Und wie bist du das Ding wieder losgeworden?«

Juri zog den Stöpsel aus der Wanne. »Danke, habe ich zu der Dame am Telefon gesagt, ich habe das Instrument jetzt zwei Tage lang getestet, die

Tasten sind zu hart, und ich wäre froh, wenn Sie es morgen gegen vierzehn Uhr wieder abholen könnten.«

Ada lachte. »Und das hat funktioniert?«

Juri nickte. »Die Betonung der Sätze ist wichtig. Du musst deine Begründung nach Abmachung klingen lassen. Als sei es von Anfang an klar gewesen, dass die gekaufte Ware deinen Ansprüchen höchstwahrscheinlich nicht genügen wird. Du bist doch Schauspielerin, das machst du mit links.«

Ada betrachtete Juri von der Seite, seine großen Ohren, die ein klein wenig wackelten, wenn er sprach, die Wetterfalten um seine Augen, seine staubigen Haare, die ein Stückchen gewachsen waren seit seinem Einzug, seine Hände, die ruhig auf den Knien lagen, seine rötlichen Barthaare, in denen sich brauner Staub verfangen hatte, so dass es aussah, als wären ein paar seiner Sommersprossen von der Wange gerutscht und im Bart hängengeblieben.

»Später habe ich allerdings nur noch kleine Instrumente angeschafft«, sagte Juri, »ein Saxophon, zwei Geigen, ein Akkordeon und ein antikes Waldhorn. Gerade liebäugle ich mit einem Kontrabass, den ich in der Gerbergasse gesehen habe. Es reicht mir vollkommen, diese Instrumente zu kaufen und nach Hause zu bringen. Ich behalte sie ein, zwei

Tage in der Wohnung und spiele darauf. Wenn ich sie danach zurückbringe, fehlen sie mir nicht.« Er stand auf, ging zur Tür und hielt sie Ada auf.

»Was soll das bedeuten?«, fragte Ada.

»Ich will duschen«, sagte Juri.

»Ach so, ja.« Ada stand auf. In der Wohnung über ihnen hatte der Nachbarjunge wieder angefangen, Xylophon zu spielen. Die Vorstellung, dass ihm das Instrument vielleicht gar nicht gehörte, dass er vielleicht nur seinen Klang anprobierte wie ein viel zu buntes T-Shirt, stimmte sie ein wenig versöhnlich. Sie zerknüllte das Toilettenpapier und steckte es in die Hosentasche. »Es gab ein Problem mit dem Zug, ich bin gar nicht bis nach München gekommen«, sagte sie und verließ das Bad.

5

Das Heute, das morgen schon gestern ist

M anche Leute haben wirklich einen Schatten«, sagte Maria. Sie lehnte sich mit einem
Seufzer gegen das noch warme Balkongeländer und
legte eine Hand auf ihren satten Bauch, mit der anderen streichelte sie die Blütenköpfe ihrer Stiefmüt-
terchen. Sie wartete, dass jemand nachfragte, wie
sie das meinte. Bettina hatte die Beine auf Hendriks
Schoß gelegt und war damit beschäftigt, die Schleife
an ihrem Blusenkragen neu zu binden, Hendrik
beugte sich immer wieder umständlich über Bettinas schöne Knie, um an den Aschenbecher zu ge-
langen, Ada knibbelte die Etikette von ihrer Bierflasche und war irgendwo sonst, in München oder
bei den Seelachsen im Atlantik, sie dachte: Irgendwann wird es Sommer. Es war ganz eindeutig an
Lukas, der mit leeren Händen vor seinem leergegessenen Teller saß, auf Maria zu reagieren. Er
fragte höflich, aber leidenschaftslos: »Wie kommst
du darauf?«

Maria setzte sich und beugte sich in die Mitte des

Tischchens. Sie rückte ihr Federhütchen zurecht und mit dem Hütchen die Worte im Mund, sie dämpfte die Stimme, obwohl sie weit und breit die Einzigen waren, die noch auf dem Balkon saßen. »Unten im Hof«, sagte sie, »war ein Irrer zugange.« Sie lehnte sich zurück und kostete den Nachgeschmack ihres Satzes mit einem genüsslichen Lächeln aus.

»Mutierst du jetzt zu einer dieser alten Frauen, die aus Langeweile einen Barhocker ans Fenster schieben und die Polizei rufen, wenn sich nichts tut«, sagte Bettina.

Maria lachte, »in ein, zwei Jahren vielleicht«, sagte sie und beugte sich wieder vor, »aber was ich neulich entdeckt habe, war ein Zufallstreffer.« Sie rollte die Ärmel ihres Pullis bis über die Fingerkuppen, als könnte sie das, was sie zu sagen hatte, so noch heimlicher sagen. »Ein Leintuch, voll mit dem widerlichsten Plunder, den ich je auf einem Haufen gesehen habe.«

Ada stellte die Bierflasche auf den Tisch, sie roch jetzt plötzlich den eingetrockneten Senf auf ihrem Teller und hörte sehr laut das Geräusch, mit dem der Glasboden der Flasche über den verbeulten Metalltisch kratzte, und sie schob die Ärmel ihres Pullis zurück bis über die Ellbogen, bis der Stoff sich in der Kuhle staute und in die Haut schnitt, sie schob weiter, um irgendetwas zu tun, eine Bewegung gegen alles, was Maria jetzt noch sagen würde.

Da müsse einer ein wirklich perverses Hobby haben, sagte Maria, man könne sich das so jetzt gar nicht vorstellen, der habe Bilder gesammelt von Erdbebenopfern und Artikel über Atomkatastrophen, ganz üble Aufnahmen von kranken Menschen, Nahaufnahmen von irgendwelchen Krebsgeschwüren, teilweise habe er das Zeug sogar vergrößert, ekelhaft sei gar kein Ausdruck. Einiges sei zwar ziemlich aufgeweicht gewesen vom Regen, aber das, was man noch erkennen könne, müsse einem wirklich Sorgen machen. Ein Artikel sei dabei, über irgend so eine tropische Wurmgeschichte, vergrößert auf Plakatformat, aber das Grässlichste überhaupt, sagte sie, sei die Nahaufnahme von einem zerfetzten Bein nach dem Attentat in der Moskauer U-Bahn, riiiesengroß. Maria dehnte das i bis an seine Schmerzgrenze und verteilte es mit beiden Händen über die verbeulte Metallplatte. Ada hörte, wie der Regen Synkopen auf das Wellblech des Fahrradunterstands im Hof klatschte. Lukas schob den Aschenbecher etwas näher zu Hendrik: »Ich sag doch, diese Stadt ist voller Psychopathen.«

»Hast du das Zeug hier?«, fragte Bettina, »kann ich's sehen?«

Sie hatte dabei diesen vorfreudigen Ausdruck im

Gesicht, den Ada schon einige Male beobachtet hatte, wenn sich jemand auf dem Sofa eingerichtet hatte, um *Tatort* zu schauen.

Maria klatschte in die Hände, »den ganzen Abend warte ich schon darauf, euch das zu zeigen.«

»Das ist doch nicht euer Ernst«, sagte Ada, »wir sind doch keine zwölf mehr, ich habe mich aufs Kartenspielen gefreut.«

Maria hielt irritiert inne. »Ach«, sagte sie, »Madame findet uns kindisch?«

»Ich weiß nicht«, sagte Ada, »da hat jemand vielleicht ein ernsthaftes Problem, und ihr macht euch darüber lustig.«

»Herrje, Herzchen«, sagte Bettina, »die ganze Unterhaltungsindustrie, für die wir arbeiten, lebt doch von ernsthaften Problemen, die irgendjemand anderes hat oder in abgewandelter Form mal gehabt hat, nimm Antigone oder die Unbekannte aus der Seine, die Psychiater würden sich um sie reißen.« Sie legte den Kopf schräg und lächelte, wie sie sonst nur kleine Kinder anlächelte, »du bist doch sonst nicht so zimperlich«, sagte sie und folgte Maria in die Wohnung. Hendrik und Lukas griffen nach ihren Bieren, »komm schon«, rief Bettina und winkte Ada von drinnen zu, »das wird lustig.«

Im Türrahmen zu Marias Wohnzimmer blieb Ada stehen, betrachtete die Rücken der kichernden Freunde, hörte das Knistern des Papiers zwischen aufgeregten Fingern und wie ab und zu einer »widerlich« sagte, oder »abartig«. Blatt für Blatt hefteten sie mit Reißzwecken Adas Ängste an Marias Pappkisten und brachten dabei das Angstalphabet durcheinander. Lauter Halbwissen, dachte Ada beim Betrachten der zerknitterten Bedrohungen; Halbwissen, ganz grundsätzlich, das ist die eigentliche Katastrophe, halbes Wissen ist der effizienteste Erreger für die Bildung von Angstgeschwüren.

»Das muss ich auf Facebook posten«, sagte Hendrik und ließ den Sucher seiner iPhone-Kamera über die Reste der Therapietapete schweifen.

»Gute Idee«, sagte Ada und versuchte, ihrem Zwerchfell ein Lachen abzuringen, aber das Lachen blieb irgendwo zwischen Brustbein und Kehlkopf stecken und fiel dann zurück in ihren verkrampften Bauch. Sie hoffte, dass man keinen weiteren Kommentar von ihr erwarten würde. Ihr Mund war trocken, sie hatte ihr Bier auf dem Balkon vergessen. Maria schaute auf und streckte ihr die Röntgenaufnahme des Gehirntumors entgegen.

»Ada«, sagte sie, »das muss jemand aus unserem Haus gewesen sein.«

»Stimmt«, sagte Lukas, »von den anderen Wohnungen aus hätte man das Zeug niemals in den Hinterhof werfen können. Oder haben die von nebenan einen Schlüssel?«

»Natürlich nicht«, sagte Maria, »das wäre ja noch schöner; lass mich nachdenken.« Sie zog die Beine an den Körper und fächerte sich mit der Röntgenaufnahme Zimmerluft zu.

Das war's, dachte Ada, ich kann packen.

»Also«, sagte Maria, »die alte Bach im Erdgeschoss kann's nicht gewesen sein, bei der putze ich ja ab und zu, die kommt mit ihrem Rollator kaum über die Türschwelle. Außerdem hängen in der ganzen Wohnung nur so putzige Katzenbilder. Das Pärchen im ersten Stock hat ein kleines Kind, das ist vollkommen abwegig, die Spanierin im zweiten versteht sehr wenig Deutsch, das heißt, sie hätte die meisten der Artikel gar nicht lesen können, ich war's bestimmt nicht, und –« Maria stockte und schaute Ada an, dann schauten auch die anderen sie an, Hendrik grinste. »Na, Adalein«, sagte er, »hast du uns was zu beichten?«

Ada schwitzte, »klar«, sagte sie, »und bei Vollmond opfere ich auf dem Dachboden Haustiere.« Ihr war übel, die Übelkeit kam aus dem Ansatz ihrer Augenbrauen, aus der Stirn, hinter der sich Bilder und Szenen jagten, eine Vorschau der bevorstehenden Ereignisse. »Es gibt noch jemanden im

Haus, den ihr nicht aufgezählt habt«, sagte sie, »wie ihr wisst, habe ich ja seit einiger Zeit einen neuen Mitbewohner.«

Maria runzelte die Stirn. »Matuscheks Enkel? Was weißt du über den?« Ada war schwindlig, ihr Mund war ausgetrocknet, und ihr Blut lärmte von innen gegen ihr Trommelfell; »ich geh rauchen«, sagte sie, obwohl sie wusste, dass sie mit diesem Satz nicht davonkommen würde, aber es war nun mal der einzige, der sich von Zunge und Zähnen mundgerecht hatte zurechtrücken lassen.

Die Zigarette schmeckte bitter, Ada rauchte sie trotzdem, sie gab ihr die Bewegungen der nächsten Minuten vor. Was wusste sie über Juri? Vor allem wusste sie seit dem Vorfall mit den Diskusfischen nicht, wie sie sich verhalten sollte. Sie hätte sich gerne bei Juri bedankt, weil die Verkäuferin die Fische tatsächlich zurückgenommen hatte. Es gibt auch ein Halbwissen zu jeder Person, die einem begegnet, dachte Ada, eine Hälfte gehört immer den anderen. Es war ihr lieber, nicht zu wissen, was Juri über ihre wuchernde Therapietapete gedacht hatte, an dem Abend, als er plötzlich mit dem Weißbrot unterm Arm in ihrer Wohnung gesessen hatte. Juri war jetzt da, auch wenn er nicht da war, und alles, was ihm gehörte, vertrat ihn gewissermaßen in seiner Abwesenheit, machte ihn anwesend, auf eine hemmende und gleichzeitig beruhigende Art. Es war etwas anderes, umgeben von seinen Kleidungsstücken und Esswaren in der Nase zu bohren oder nachmittagelang erfundene Monologe auf Englisch zu halten. Sie schlief besser, seit Juri da war. Seine Anwesenheit nachts, sein Atem am Ende des Flurs, den sie hören konnte, wenn sie hinschlich und ihr Ohr fest gegen das Türholz presste, allein die Möglichkeit, nach jemandem rufen zu können, hatte sich in den letzten Tagen wie Packfolie um die scharfkantigen Bilder in ihrem Kopf gelegt, und der Bettrand kam ihr nur selten noch vor wie der Rand der Welt. Trotzdem, Juri blieb ein Eindringling.

»Alles in Ordnung?« Maria hielt ihre Hand vor Adas Feuerzeugflamme. »Wie kommst du darauf, dass es Juri war?«, fragte sie.

»Ach«, sagte Ada, »es waren doch schon im Kindergarten die Jungs, die Heuschrecken am Elektrozaun gegrillt und Schnecken mit dem Hammer erschlagen haben, Männer haben einfach einen angeborenen Sinn fürs Eklige.«

Maria legte den Kopf schräg. »Moment«, sagte sie, »lief da was zwischen euch? Hast du mit dem Bürschchen eine Rechnung offen? Dieser Juri ist ja nicht gerade ein Kind von Traurigkeit.«

»Ich würde mich nie mit so einem einlassen«, sagte Ada, »der will mir viel zu wenig vom Leben.«

Sie pustete den Rauch aus ihrer Lunge und diesen blöden, aus der Not heraus erfundenen Satz möglichst weit weg von sich, sie schaute über die nassen Dächer und versuchte, sich an den Stadtrand zu denken, aber er fiel ihr nicht ein.

»Ich frage ja auch nicht, ob du vorhast, ihn zu heiraten, sondern ob er dich flachgelegt hat«, sagte Maria und puffte Ada in die Seite.

»Du hast mit dem Psycho geschlafen?« Bettina stand plötzlich da, sie nahm Ada die Zigarette aus den Fingern und zog daran, ihr Mund dehnte sich aus zu einem überlegenen Grinsen.

Ada winkte ab: »Ach was.«

»Und, war er es?«, fragte Lukas, der im Küchenschrank nach Keksen suchte. Ada zündete sich eine neue Zigarette an. »Vermutlich schon«, sagte sie, »er war mir von Anfang an nicht ganz geheuer. Obwohl er ja eigentlich ganz harmlos aussieht. Manchmal verschanzt er sich schon am frühen Abend in seinem Zimmer«, hörte sie sich lügen, »und schaut sich irgendwelche Schockerfilme an, es kommt vor, dass ich die Schreie bis in mein Zimmer hören kann, grauenhaft.«

»Na dann«, sagte Hendrik, der nach der Zigarette griff, die Bettina Ada aus der Hand genommen hatte, »konfrontieren wir den Herrn doch mal mit seinen Schattenseiten.«

Bettina beugte sich rücklings über das Balkongeländer und schaute nach oben, »da brennt Licht«, sagte sie, »auf geht's.«

»Das ist doch lächerlich«, sagte Ada, »lasst uns hier gemütlich sitzen, das bringt doch nichts, am Ende muss *ich* noch aus der Wohnung raus, Maria, ich habe dir doch von dem Deal mit Matuschek erzählt.«

Maria zuckte nur mit den Schultern und musterte sie mit einem seltsamen Blick. Lukas mampfte.

»Sei kein Spielverderber«, sagte Hendrik, »wir werden den Jungen nur höflich auf die allgemeine Müllverordnung hinweisen.« Seine Art zu lachen kam Ada auf einmal hässlich vor.

»Und wenn er es abstreitet?«, fragte Bettina.

»Ich merke sofort, wenn einer lügt«, sagte Hendrik, »mit schlechten Schauspielern kenne ich mich aus.«

Juri stand am Herd, es roch nach gedünsteten Zwiebeln, und Ada wagte nicht, den Blick vom gekachelten Boden zu lösen, von Juris Füßen.

»Wir haben da im Hof etwas gefunden«, hörte sie Hendrik zu Juri sagen, »was eigentlich nur von dir sein kann.«

Ada versuchte die Kacheln zu zählen, aber Juri bewegte seine Füße und brachte ihre Rechnung durcheinander. Zu den Eltern kam nicht in Frage, auf gar keinen Fall. Sophie schon gar nicht. Und wenn die Eltern und Sophie nicht in Frage kamen, dann kam niemand in Frage. Sie würde irgendeinen Kerl aufreißen und bestehlen müssen. Danach über die Grenze. Juri kniete sich in Adas Blickfeld und kramte im Kühlschrank. »Aha«, sagte er, »und was genau soll das sein?«

Bettina ließ das Bündel neben ihm auf den Boden fallen. »So ein paar Kleinigkeiten«, sagte sie. Juri warf einen flüchtigen Blick auf den Inhalt des Bündels, er sah zu Ada hoch, nur ganz kurz, nicht lange genug, als dass sie seinen Blick hätte deuten können. Er stand auf und legte eine Packung tiefgekühltes Mischgemüse auf die Anrichte. Italien, dachte Ada, oder Frankreich, irgendwohin, wo das Essen günstig ist und man die Hotelrechnung nicht im Voraus bezahlen muss.

»Ach so«, sagte Juri gelassen, »das Zeug hatte ich schon ganz vergessen.«

Ada merkte erst jetzt, dass sie die ganze Zeit über die Luft angehalten hatte, und versuchte nun, möglichst langsam und geräuschlos auszuatmen.

Hendrik verschränkte die Arme vor der Brust. »Du gibst es also zu?« Juri nickte. »Klar, ich schreibe doch dreimal jährlich für den *Kritischen Beobachter,* und das da«, er kreiste mit dem Finger das Bündel ein, »ist Recherchematerial zum Thema *Schicksal und Leiden im Wandel der Zeit,* ich hatte eine Art essayistisches Kabinett vor Augen, aber das Thema ist mir über den Kopf gewachsen. Ich kann manchmal sehr impulsiv sein, wenn mir etwas nicht gelingt«, sagte er, während er die Mischgemüsepackung sorgfältig mit einer Schere aufschnitt und den Inhalt in die Pfanne rasseln ließ. »Ich hasse Tiefkühlgemüse«, sagte er, als wäre es die logische Schlussfolgerung aus dem eben Gesagten, »die Bohnen sind immer alle auf dieselbe Länge gekürzt, als hätte die Natur selbst keinen Sinn für Symmetrie, man muss sich wirklich fragen, was die mit den Resten machen.« Er stützte sich auf dem Herd auf und schaute nachdenklich in die Pfanne.

»Ja dann«, sagte Bettina, »denk doch nächstes Mal daran, dass da unten auch kleine Kinder spielen könnten. Und guten Appetit.« Sie machte auf dem Absatz kehrt, offenbar enttäuscht, dass das Ganze nicht spektakulärer abgelaufen war. Hendrik blieb nichts anderes übrig, als hinter ihr herzutrotten.

»Ich habe Kopfschmerzen«, sagte Ada an der Wohnungstür, was nicht einmal gelogen war, »ich werde hier oben bleiben.«

Bettina grinste, »also von *dem* würde ich mich auch flachlegen lassen«, flüsterte sie, »du hättest mich warnen können, jetzt hab ich's mir mit ihm verdorben.«

Hendrik verdrehte die Augen. »*Schicksal und Leiden im Wandel der Zeit*«, murmelte er, während er die Treppe runterstieg, »wer liest denn so was.«

Juri saß am Tisch, er aß langsam, mit zusammengezogenen Augenbrauen, es schien ihm nicht zu schmecken. Ada öffnete den Kühlschrank und begann, den Käse und die Marmeladengläser darin herumzuschieben. Juri beschäftigte sich mit dem Farbausgleich der Gemüsestücke auf seiner Gabel, es schien ihn nicht zu stören, dass sie ihm dabei zusah. Ada schloss die Kühlschranktür und stand jetzt ohne Beschäftigung da, und als wären die leeren Hände nicht unangenehm genug, stellte der Kühlschrank mit einem gurgelnden Ruck sein Summen ein. Juri kaute, schluckte, belud seine Gabel sorgfältig neu, draußen schlugen Autotüren, irgendwo bellte ein Hund, und Juri kaute, ohne aufzusehen, schluckte, er schien damit zu rechnen, dass Ada, wie jedes Mal, ohne ein Wort aus dem Raum gehen würde. Aber Ada wollte diesmal nicht ausweichen, auch wenn es still war und unangenehm und sie bei Juri am Tisch stand und ihm einfach nur beim Essen zusah. »Warum hast du das gerade gemacht?«, fragte sie, »warum hast du gesagt, dass die Sachen dir gehören?«

Juri blickte erstaunt von seinem Teller auf. »Ich dachte, es wäre am einfachsten so«, sagte er, »alles andere hätte vermutlich damit geendet, dass ich in meinem Zimmer hätte essen müssen.« Er lächelte, und dieses Lächeln kam so unerwartet und war so direkt an Ada gerichtet, dass sie, obwohl sie das Gewicht in den Füßen schon verlagert hatte, um aus der Küche zu verschwinden, stehen blieb und sagte: »Maria meint, du seist viel herumgekommen.« Juri nickte.

»Wo bist du gewesen?«, fragte Ada.

»Weg«, sagte Juri.

Diese Antwort hatte Ada sich selbst zuzuschreiben, das wusste sie, sie war es gewesen, die angefangen hatte mit dieser Art von Ungespräch. »Du warst also einfach nur weg«, sagte Ada, »an keinem bestimmten Ort.«

Juri legte Gabel und Messer in den leergegessenen Teller. »Ja«, sagte er, »irgendwie schon, weg war jedenfalls der Ort, an dem ich sein wollte.« Als er bemerkte, dass sie sich auch mit dieser Antwort nicht zufriedengeben würde, schob er den Teller von sich weg und erzählte weiter.

»Ich bin bei meinem Vater in die Lehre gegangen.

Aber nicht, weil Goldschmied mein Traumberuf war, sondern weil ich auf keinen Fall länger zur Schule gehen wollte. Nach meinem Lehrabschluss habe ich ziemlich schnell das Weite gesucht. Zuerst bin ich wegen einer Frau fast drei Jahre lang in Lissabon hängengeblieben, sie hieß Beatriz, ich habe sie vor einem Supermarkt kennengelernt, und der Wind hat irgendetwas mit ihren Haaren gemacht und mit ihrem Kleid, irgendetwas, das mich auf die Schnapsidee gebracht hat, dort zu bleiben und in einer Goldschmiede auszuhelfen. Das Ganze war ziemlich romantisch, bis ich die Sprache beherrscht habe und feststellen musste, dass es nicht an den fehlenden Vokabeln lag, dass die Gespräche zwischen Beatriz und mir stockten. Danach habe ich auf einem Kreuzfahrtschiff gearbeitet, oder besser gesagt: Wein gepanscht, über die Reling gekotzt, mich mit dem Hilfskoch geprügelt und die Tage gezählt bis zur Endstation in Thessaloniki. Griechenland hätte mir gefallen können, da gibt es gute Orte zum Wegsein.«

»Und warum bist du wieder hier?«, fragte Ada, »wenn du eigentlich weg sein willst.«

»Weil mein Vater gestorben ist«, sagte Juri. »Darum. Genau.«

Und plötzlich wusste er nicht mehr, wohin mit seinen Händen, er fuhr sich durch die Haare und dann durch den Bart, er legte die Hände auf die Knie, auf den Tisch, in den Nacken und zurück auf die Knie.

»Das tut mir leid«, sagte Ada, »was ist denn passiert mit ihm?«

Juri schüttelte den Kopf und hielt seinen Blick auf die Tischkante gerichtet. »Sein Herz«, sagte er, »es hat einfach aufgehört zu schlagen. Die Haushälterin hat ihn gefunden, am Morgen auf dem Teppich im Flur. Er hat einfach dagelegen. Aber das kann passieren, haben sie gesagt, dass man mit dreiundfünfzig – so was gibt's.«

Juri rieb mit den Handflächen über seine Knie, immer wieder, als wäre ihm kalt, er hielt den Kopf gesenkt, und es dauerte eine Weile, bis Ada begriff, dass er weinte. Sie wollte ihn trösten, aber es gab nur einen Stuhl in der Küche, und wenn sie jetzt zu ihm hinüberging und versuchte, einen Arm um ihn zu legen, dann war sein Kopf genau auf der Höhe ihrer Brüste, und das kam nun wirklich nicht in Frage, genauso wenig, wie es in Frage kam, ihn von hinten zu umarmen, also ging sie ganz leise aus der Küche, holte den Stuhl aus ihrem Zimmer und setzte sich behutsam neben ihn. Sie legte eine Hand auf seinen rechten Arm, mit der anderen strich sie über seinen Rücken. Juri schluchzte, ein paar Tränen dunkelten tropfenweise den Stoff seiner Jeans ein.

Ada wusste, dass es besser war, jetzt nichts mehr zu sagen, und dass sie nichts anderes tun konnte, als so lange mit der Hand über Juris Rücken zu streichen, bis er wieder wie sie die Autos hören konnte, die vorbeifuhren, und die Vögel draußen im Hof, bis er die Bilder in seinem Kopf lange genug angeschaut hatte, um sich von ihnen zu lösen. Ada wusste, dass man sich vorübergehend aus einer Traurigkeit winden kann, indem man sich kraftlos weint, weil Erschöpfung eine Form des Vergessens ist.

Draußen war es dunkel geworden, und weder Ada noch Juri hatten das Licht angemacht, auch drinnen war es nun dunkel, abgesehen von den Scheinwerferstrahlen, die sich hie und da von der Straße her in die kleine Küche verirrten, gegen die Tischbeine oder Kacheln stießen wie orientierungslose Insekten und dann in den Verwinklungen der Wände verschwanden.

Juri stopfte das Taschentuch in seine Faust hinein, bis kein Zipfel davon mehr zu sehen war. Er stand auf und drückte Ada mit der anderen Hand ein Danke auf die Schulter, er öffnete das Tiefkühlfach des Kühlschranks, holte eine halbvolle Flasche heraus, die mit einer dunkelroten Flüssigkeit gefüllt und mit einer handbeschrifteten Etikette versehen war, dazu zwei Gläschen, alles ummantelt mit Tiefkühlfrost. Er stellte die Gläschen auf den Tisch und schenkte ein, stumm prostete er Ada zu und leerte das Glas in einem Zug, danach schaukelte er es in der Hand, als wollte er das Glasgewicht auswendig lernen, das Taschentuch klemmte noch immer in der Faust seiner anderen Hand. Ada tat es Juri gleich, sie trank die rote Flüssigkeit in einem Schluck, und das klebrig süße Brennen half gegen alle ungesagten Sätze in ihrem Mund.

Juri stellte sein Glas auf den Küchentisch und ließ das Taschentuch ins Waschbecken fallen. Er pulte an seiner rechten Hand herum.

»Vom Feilnagel«, sagte er und zeigte ihr die Blase zwischen Daumen und Zeigefinger.

»Dann ist das die Goldschmiede deines Vaters, in die du immer gehst«, sagte Ada.

»Jetzt ist es meine«, sagte Juri leise und steckte seine Hand und mit ihr die Blase und seinen Vater und die vergangenen Stunden in die Hosentasche.

Sie sprachen über Datteln, Atomkraft und die Söhne berühmter Musiker, über den Hass auf den ersten und die Liebe zum letzten Schnee, überhaupt das Verschwinden der Gerüche im Winter, über die lauwarmen Kuchen ihrer Kindheit, das Fallen von Dächern und das Zucken im Schlaf, über

Topfpflanzen, Schopenhauer und verlernte Handarbeit wie Stricken, sie sprachen, bis das Gähnen überhandnahm und Juris selbstgebrannter Ginjinha nur noch fingerbreit in der Flasche stand. Ada mochte die Art, wie Juri seine Worte mit Bewegungen untermalte, wenn er sich ereiferte: ordnend, zerfetzend, auftürmend, ausbreitend, bis seine Hände am Ende der Tischplatte ins Leere griffen und ihn zum Luftholen zwangen. Und wenn es einen Augenblick Stille gab zwischen ihnen, kam es vor, dass alles an ihm ganz ruhig wurde und er sie einfach anschaute. Er flirtete nicht mit ihr, er betrachtete sie mit dem Ausdruck von jemandem, der sich in einem fremden Zimmer umschaut. Dieser Ausdruck lobte nicht, er prüfte eher, ob die Verhältnisse stimmten. Sein Blick maß ihre Brauenlänge und ihre Wangenbreite, er maß ihre Stirnfläche und den Durchmesser ihres Lachens, bevor er in ihrem linken Auge zur Ruhe kam. Sein Blick schien sich wohl zu fühlen in ihrem Gesicht.

Im Bett war Ada wieder wach. Eine Unruhe kroch ihren Rücken hoch, und ihre Hände zitterten, wenn sie die Decke losließ. Sie nagte an ihrer Nagelhaut und zog die Haut mit den Zähnen ab, als könnte sie das Zittern wie einen lästigen Span aus den Fingern beißen. Sie spürte ihr Herz in der Kopfhaut, unregelmäßig und schwach. So was gibt's, auch mit fünfundzwanzig, warum nicht du, Ada, es kann jeden treffen. Sie stand auf und machte Licht, draußen war es still, so verdächtig still, so still war es nie, es war die Stille, die einem Erdbeben vorangeht oder einer Atomkatastrophe, und alle hatten sich in Sicherheit gebracht, nur ihr hatte niemand Bescheid gesagt; sie sah sich aus der Vogelperspektive, ihre Wohnung aufgeschnitten wie ein Puppenhaus, ihren dunklen Schopf über den blasskalten Füßen, und etwas drehte von außen an der Wohnung, drehte die Wohnung wie eine Töpferscheibe, drückte die weichen Wände ein, an denen die Perücken hingen und die Stange mit den Kostümen, drückte den Boden gegen die Decke, bis der Kronleuchter die Matratze durchbohrte, in allen Ecken drückte es, die Wohnwände drückten gegen ihre Schädelknochen, ihre Gefäße schwollen an, und die Taucherglocke schraubte sich eng um ihren Kopf.

Es waren nur ein paar Schritte zu Juris Tür, ein paar Schritte über das kühle Parkett, die Klinke ließ sich leise drücken, die Tür schnappte ganz einfach aus dem Schloss. Sie wusste, es konnte vorbeigehen, sobald sie mit jemandem darüber sprach, es ging fast immer vorbei, sobald sie sich schämte. »Was schleichst du dich auch an wie ein Geist«, hatte

Sophie immer gesagt, Ada sah ihn deutlich vor sich, diesen verschlafenen Ärger in Sophies Gesicht.

Vorsichtig kniete sie sich neben Juris Bett. Wenn seine Brust sich mit dem Atem hob, verschwand das Wasserglas neben der Matratze, bis er wieder ausatmete. Manchmal runzelte er die Stirn und öffnete für einen kurzen Moment den Mund. Und manchmal hörte er auf zu atmen, lag einfach da, ohne sich zu regen. Ada hielt den Handrücken vor seine Nase. Nichts. Sie wartete. Vier Autos fuhren draußen vorbei, bis er wieder Luft holte, tief, und sein Kopf sich leicht nach links neigte, zum Fenster, als hätte er etwas gehört. Seine Augen bewegten sich unter den Lidern, jagten den Bildern hinterher, die seine Traumleinwand auf die Netzhaut projizierte. Ihm beim Schlafen zusehen, dachte Ada, das ist, als würde ich seine Notizen lesen. Oder Dinge sagen, für die es zu früh ist. Immer zu früh, eigentlich. Geh ins Bett, Ada, hör auf mit dem Blödsinn, wenn's hell wird, wird alles besser, du musst nur warten, bis es hell wird. Aber Adas Knie streckten sich nicht, sie blieb in der Hocke und schaute Juri an, der irgendwo sonst war, in Lissabon vielleicht oder bei den Seelachsen im Atlantik, sie dachte: Wie oft an einem Tag komme ich vor in seinem Kopf? Eigentlich konnte sie schlafende Gesichter nicht ausstehen. So oft hatte sie schon schlafende

Gesichter angestarrt, im Versuch, einer Angst auszuweichen, die moskitohaft um ihren Kopf tanzte.
Sie hatte diese Gesichter innerlich angeschrien, ihnen Grimassen geschnitten, sie hatte sie lächerlich
gefunden in ihrer kindlich selbstvergessenen Auslieferung. Wie sie dalagen und jeder Atemzug sagte:
Schau, so einfach ist das, so gemütlich. Juri öffnete
ganz plötzlich die Augen und setzte sich ruckartig
auf. »Wir sollten Wasser trinken«, sagte er.

»Was?« Ada steckte noch der Schreck in den
Knochen.

»Wasser«, sagte Juri, »dieser rote Fusel trocknet
alles aus.« Er stand etwas schwankend auf und ging
aus dem Zimmer, als er zurückkam, hielt er Ada ein
Glas Wasser hin. »Hier.« Ada nahm einen kleinen
Schluck. Juri setzte sich ins Bett und schlug die Decke zurück, »hier ist es schon warm«, sagte er und
deutete auf die Stelle, auf der er eben gelegen hatte.
Er legte sich am anderen Ende des Bettes hin und
drehte Ada den Rücken zu. Die Sache war für ihn
offenbar so weit erledigt, was auch immer die Sache
für ihn gewesen sein mochte. Ada legte sich unter
die schlafwarme Decke. »Dein Fenster ist noch
auf«, sagte sie leise, »es regnet ins Zimmer.«

»Ich weiß«, sagte Juri.

Und keiner von beiden stand auf, um es zu schlie
ßen.

6

Entwürfe, die einen nicht enthalten

Ada zählte mit den Fingern unter der Bettdecke: zwei, drei, vier, fünf; zum fünften Mal
lag sie nun schon in Juris Bett. Jedes Mal hatte Juri
vor dem Zubettgehen angefangen, irgendeine Geschichte zu erzählen, von der Frau, die ihren Ehe-
ring zu einem möglichst hässlichen Klumpen zu-
sammengeschmolzen haben wollte, vom Suchen
nach wildem Spargel an der portugiesischen Küste
oder von der trauernden Witwe, die nachgefragt
hatte, ob es möglich sei, aus der Kohle ihres kre-
mierten Gatten einen Diamanten herzustellen, wenigstens das; heute waren es die aufgebrachten
Frauen am Lissabonner Fischmarkt gewesen, die
sie in sein Bett gelockt hatten, weil er erzählt hatte
und erzählt und dann ohne mit dem Erzählen aufzuhören, ins Bett gestiegen war, und sie hatte sich,
wie jedes Mal, zuerst auf den Bettrand gesetzt, den
Oberkörper irgendwann seitlich auf der Matratze
abgelegt, den Kopf schon auf dem Kissen, die Füße
noch immer auf dem Boden, bis sie schließlich die

Beine angezogen und unter die Decke geschoben hatte, leise und schnell; sie ließ sich selbst in Juris Bett verschwinden, wie man einen Gegenstand in der Tasche verschwinden lässt, der einem gar nicht gehört.

Juri setzte sich im Bett auf und schlug mit der flachen Hand auf sein Kissen, »so etwas habe ich noch nie gesehen«, sagte er, »zuerst sah alles ganz harmlos aus, eine der Verkäuferinnen hat ein bisschen ihre Nachbarin angekeift, eine kleine, ledrige Frau in hellgelber Schürze, deren Alter nicht einzuschätzen war, die hat tonlos zurückgekeift, so ein unheimliches, zischendes Flüstern, ein paar Leute sind stehen geblieben und haben sich eingemischt, dann hat die mit der gelben Schürze auf den Stockfisch der keifenden Nachbarin gespuckt, wahrscheinlich, weil sie ihn zu billig verkaufen wollte. Die hat kurzerhand nach einem der Fische gegriffen und ihn der anderen um die Ohren gehauen. Die anderen Marktfrauen und ein paar der Kunden haben nach und nach eingegriffen, ein riesiges Durcheinander, die hätten einen Waffenschein beantragen müssen für ihre Meerestiere, ins Gesicht und auf die Bäuche haben sie sich die Fische geknallt, ich kann mich noch genau an dieses Geräusch erinnern, die waren alles andere als zimperlich, mit Krabben haben sie sich beworfen, ganze

Wassereimer haben sie einander übergekippt, und als die Polizei angerückt ist, haben sie die gleich mit verprügelt –«

Das Rattern eines Mopeds unterbrach Juri in seiner Erzählung, er hatte das Fenster offen stehen lassen, weil dies, so behauptete er zumindest, die Träume weitläufiger machte. Adas Lachen wurde von einem wohligen Gähnen in die Länge gezogen. »Wie ist die Sache denn ausgegangen?«, fragte sie.

»Keine Ahnung«, sagte Juri, »ich glaube, zwei von denen hat die Polizei eingesackt, und die Prügelfische wurden wahrscheinlich an nichtsahnende Touristen verhökert. Ich musste irgendwann die Beine in die Hand nehmen, weil es wirklich ungemütlich wurde.« Jetzt gähnte auch Juri. Er drehte sich zur Seite und löschte das Licht.

Ada drehte ihren Kopf auf dem knisternden Kissen zum Fenster. Und wenn schon, dachte sie, das alles hatte so lange nichts zu bedeuten, wie keiner von beiden eine Bedeutung aussprach, und es gab keinen Grund, warum einer von beiden dieses Schweigen hätte brechen sollen, zu schön war dieser Schwebezustand aus noch blassen Möglichkeiten, als dass einer von ihnen es darauf angelegt hätte, ihm zu schaden mit sorgsam zurechtgelegten Worten.

Als Ada aufwachte, klebten noch Nachtschatten an der Zimmerwand; Juri lag mit offenen Augen neben ihr und starrte die Decke an, seine Füße zappelten nervöse Rhythmen in die Bettdecke, leise fluchend drehte er sich auf die andere Seite. Es war das allererste Mal, dass Ada verschlafen neben jemandem lag, der wacher und unruhiger war als sie selbst, und allein diese Tatsache versetzte sie in einen derart seltsamen und freudigen Aufruhr, dass ans Schlafen nicht mehr zu denken war.

»Steh auf und zieh deine Schuhe an«, sagte sie nach einer Weile zu Juri, der sich irritiert zu ihr umdrehte, er hatte offenbar nicht bemerkt, dass sie aufgewacht war.

»Wozu denn das?«, fragte er, »es ist mitten in der Nacht.«

»Eben«, sagte Ada, »und du bist hellwach, obwohl du eigentlich schlafen willst, das sehe ich dir an, sogar dem Laken sieht man es an, und da, den frischgeärgerten Falten auf deiner Stirn, aber ich weiß, wie wir dich müde kriegen.«

Juri gähnte, »Ada«, sagte er, »falls du jetzt mit mir um den Block joggen willst, oder so was in der Art, vergiss es, da starre ich lieber die Decke an.«

Ada stieß ihn in die Seite, »vertrau mir«, sagte sie, »zieh deine Schuhe an.«

Ein paar Minuten später saßen sie beide schweigend auf der Taxirückbank aus Kunstleder, den Geruch eines lila Duftbaums in der Nase, die Jacken über den Pyjamas zugeknöpft, jeder auf seiner Seite zum Fenster gekehrt. Die Nachtluft, die durch das leicht geöffnete Fahrerfenster strömte, war mild, es würde ein warmer Tag werden morgen. Sie fuhren vorbei an leeren Spielplätzen, Cafés und einem hellwachen Hotelportier, der auf einem Bein stehend versuchte, etwas von seiner Schuhsohle zu klauben, vorbei an Imbissbuden, in denen müde Wirte vor ihren Fernsehern saßen und sich an die Videoclipstrände auf ihren Bildschirmen träumten, an Prostituierten, die mit schlechtbezahltem Lächeln an der Rückmauer des Einkaufszentrums lehnten, über die Mittlere Brücke, unter der die Fische schliefen, durch die Altstadt und hoch ins stille Bankenviertel, wo die orange blinkenden Ampeln die wenigen Verkehrsteilnehmer sich selbst überließen, vorbei an einem auf und ab tigernden Museumswärter, der versonnen etwas in sein Smartphone tippte, wieder über die Köpfe der Fische hinweg und die Wettsteinbrücke hinunter, und dann am Rhein entlang, wo ein Mann im Taucheranzug tropfend durch die Dunkelheit spazierte, was Ada und Juri einen Blick austauschen ließ, ein Lächeln sogar, bis der Taucher aus ihrem Blickfeld verschwand und das Taxi weiterbrauste, dem Stadt-rand entgegen.

»Die Stadt ist fast leer«, sagte Juri auf einmal, und leise: »Als würde es so etwas wie Aufregungen gar nicht geben, als würden wir uns die Tage und den Lärm und überhaupt die ganzen Verwicklungen nur ausdenken.« Und ein wenig später und noch leiser sagte er: »Das ist schön.«

Ada betrachtete Juri verstohlen von der Seite. Mit seinem ausgeleierten Schlafanzug, den nackten Füßen in den offenen Stiefeln und den vom Her-umwälzen zerzausten Haaren sah er schutzlos und ein wenig verloren aus. Auch Ada fühlte sich Juris Nähe schutzlos ausgesetzt, das hier war nicht Juris Bett, in dem sie aus Versehen gelandet war, es gab keinen Vorwand und keine Geschichte, die schüt-zend zwischen ihnen beiden lag. Sie teilte etwas mit ihm, das bisher nur ihr allein gehört hatte. »Irgend-wie werde ich mich nie daran gewöhnen, dass es immer wieder Nacht wird«, sagte sie und erschrak darüber, dass sie nicht nur das Taxi, sondern auch ihre Empfindung zu teilen bereit war. Die Nacht kam ihr jedes Mal vor wie ein anderes Land, in dem sie sich nicht auskannte, in dem andere Regeln gal-ten. Und der Schlaf war eine Art Visum für den Aufenthalt im Dunkeln. Wer wach blieb, bewegte sich in der Nacht ohne Papiere.

»Als ich ganz klein war«, sagte Ada, »hat mein Vater mich oft hinten ins Auto gepackt, wenn ich nicht schlafen konnte und nur geschrien habe. Ich kann mich nicht daran erinnern, aber er sagt, es sei die einzige Möglichkeit gewesen, mich zu beruhigen. Irgendwie ist das bis heute so geblieben. Solange man von jemandem irgendwohin gefahren wird, hat man die vollkommene Berechtigung dazu, nichts zu tun. Außer aus dem Fenster zu schauen, mit diesem sicheren Abstand zwischen sich und allem, und es geht immer weiter, und man lässt alles zu gleichen Stücken hinter sich. Wenn ich könnte«, sagte sie, »würde ich in einem Bahnwaggon wohnen, ganz für mich allein, in einem Zug, der ununterbrochen fährt und fährt und fährt und nur anhält, wenn ich es möchte, weil ich Fischfutter kaufen muss oder mich in eine Wiese legen will oder eine Weile an den Gleisrand zu den Käfern.« Sie drehte sich zu Juri um. »Wo würdest du wohnen, wenn du könntest?«, fragte sie. Aber Juri gab keine Antwort. Er war eingeschlafen.

Das Erste, was Ada sah, als sie am Morgen erwachte, waren die vier Wassergläser neben Juris Bett, drei leere und eines, in dem noch eine Handbreit Wasser stand. An der Glasinnenseite klebte ein Haar, ob ihres oder Juris, war schwer zu sagen. Der Rollladen war nachlässig heruntergelassen, er sperrte die Sonne nur streifenweise aus; und wo vor ein paar Wochen noch Adas Therapietapete geklebt hatte, klebten jetzt die Schatten der Metalllamellen, sechsundzwanzig Zensurstreifen, einen für jeden Buchstaben in Adas Angstalphabet. Und wenn sie so weitermachen würde, bald auch einer für jede Nacht, die sie in Juris Bett verbracht hatte.

Ada drehte sich zu Juris Schlafseite um, das zerknitterte Laken war noch warm, von seinem Rücken oder der Sonne, ihre Hände kannten noch nicht den Unterschied. Einen Moment lang war sie sich nicht sicher, ob sie die nächtliche Taxifahrt nur geträumt hatte, bis in der Bauchtasche ihrer Pyjamajacke das bisschen Rückgeld klimperte, das ihr der Fahrer gegeben hatte.

Ada streckte sich. Alles war wie an einem Morgen danach, nur dass in der Nacht zuvor nichts gewesen war, jedenfalls nichts, was aus dem nächsten Morgen einen Morgen danach gemacht hätte. Es war warm im Bett, eigentlich zu heiß, Sommerdeckenzeit, dachte sie, drehte sich aber in der Hitze noch einmal um und legte den Kopf auf die Seite des Kissens, die noch unbenutzt war und kühl, weil ihr unverschämt wohl war, während sie so dalag und Juri in der Küche hantieren hörte. Es war tatsächlich ein warmer Tag geworden, einer jener ersten wirklichen Frühlingstage im Jahr, die alle nur schon der langersehnten Temperatur wegen etwas Sonntägliches an sich hatten.

Ada stand erst ein wenig später auf, als Juri sich an der Garderobe zu schaffen machte. Durch den Türspalt spähte sie in den Flur, wo Juri kniete und sich die Schuhe band. Die Sonne warf Schatten durchs Küchenfenster auf den Boden im Flur, Baumschatten, die jetzt mit Juris Schatten verwuchsen, und ganz ohne dass er es bemerkte, verhakten sich die Äste der Kastanie im Hof zwischen seinen Schulterblättern, als wollten sie ihn festhalten, die Schattenzweige; aber Juri stand auf und nahm seinen Hut von der Garderobe, er trat einen Schritt zurück, warf den Hut in die Luft, ging in die Knie und fing ihn geschickt mit dem Kopf wieder auf; nur sein stolzes Lächeln verriet, dass er sich allein wähnte und nicht versucht hatte, Ada zu beeindrucken.

Erst als Juri seinen Schatten hinter sich aus der Wohnungstür hinausgezogen hatte, trat Ada in den Flur. Sie holte die schmutzige Wäsche aus ihrem Zimmer und ging ins Bad. Neben dem Seifenspender entdeckte sie ein Schälchen mit feuchter Watte und Kressesamen. Juri hatte angefangen, Kresse zu züchten, in Untertassen, Marmeladedeckeln und leeren Konservendosen, zuerst nur in der Küche und auf dem Balkon, dann bei sich im Zimmer und nun also auch im Bad. Senfkresse, Honigkresse, Sezuankresse, jeden Tag mischte er neue Sprösslinge in den Salat oder unter die Nudeln und wurde nicht müde, über die unterschiedlichen Geschmäcker zu referieren. Er schien damit eine befriedigende Beschäftigung gefunden zu haben, denn die Ordnung in seinem Schrank war nun schon auffällig lange dieselbe geblieben.

Ada legte ihre schmutzige Wäsche in den Korb unter dem Waschbecken und ertappte sich dabei, wie sie das schönste Spitzenhöschen aus dem Haufen heraussuchte und obenauf legte. Als ihr das Ausmaß dieses Unfugs bewusst wurde und sie, wenn sie ehrlich mit sich war, in Betracht ziehen musste, dass sie aus lauter blöder, alter Gewohnheit in Juris Leben zu treten versuchte wie auf eine Bühne, mit auswendig gelernten Sätzchen und bedächtig platzierten Requisiten, beschloss sie, diesmal erwachsen zu sein. Mit beiden Händen griff sie in den Wäschekorb und wühlte ihre abgetragenen Socken nach oben.

In der Küche hatte Juri ein Frühstücksgedeck für sie aufgelegt, einen Teller und daneben eine kopfstehende Kaffeetasse, ein Buttermesser an der rechten Tellerseite und einen Teelöffel an der Tellerstirn.

Er hatte ihr keinen Kaffee gemacht oder Brötchen geholt, schließlich war es kein Morgen danach, er hatte ihr nur das Werkzeug hingelegt, ein Schwebezustandsgedeck. Trotzdem rührte es Ada, wenn sie sich vorstellte, wie Juri das Besteck für sie auslegte, die Abstände genau bemaß, den Löffel vielleicht nochmals ein Stückchen verrückte, wenn er zu nahe bei der Tasse lag. Vermutlich war es seine Art, danke zu sagen, für das kostspielige Schlafmittel, das sie ihm spendiert hatte. Er konnte ja nicht wissen, dass sie nicht frühstückte, woher auch. Er konnte auch nicht wissen, wie froh sie war, wenn er die Tage für sie begann, dass es oft ein gemeinsames Mittagessen und fast immer ein Abendbrot gab, und wie sehr sie ihn insgeheim für seine Fleißstruktur bewunderte, sein tägliches zur Arbeit Gehen. Längst hatte sie im Internet den Standort der Goldschmiede ausgemacht, und die Gewissheit, dass Juri dort zu finden war, dass er dort tagaus, tagein hinter seinem Feilnagel saß und so jederzeit erreichbar war, erfüllte sie mit einer ungewohnten Sicherheit, auch wenn sie ihn dort nie besucht hatte.

Eine Weile noch saß Ada vor ihrem Frühstücksgedeck, dann stand sie auf und räumte das Geschirr zurück in den Schrank.

»Nein, haben wir nicht.« Ada ließ energisch einen Eiswürfel in ihren Kaffee plumpsen.

Maria runzelte die Stirn und rührte in ihrer Tasse: »Du willst mir doch nicht ernsthaft erzählen, dass du dem schmucken Burschen noch nie unter den Pyjama gefasst hast, in der ganzen Zeit, die ihr jetzt schon da oben zusammenhaust.« Sie zog einen roten Samtbeutel aus ihrer Rocktasche und daraus einen schwarzen Spitzenhandschuh, ihren Raucherhandschuh, wie sie ihn nannte. Maria hasste es, wenn ihre Hände nach Rauch rochen. Sie stülpte den Handschuh über, klaubte ein ledernes Etui und ein goldenes Feuerzeug aus dem Beutel, entnahm dem Etui eine Zigarette, die sie mit den Fingern glättete und dann über der Flamme des Feuerzeugs röstete; angeblich entgiftete das den Tabak. Maria zelebrierte alles, was sie tat, das Kämmen ihrer Haare, das Anziehen der Schuhe vorm Spazierengehen, das Lesen der Rechnung im Café, für alles besaß sie die nötigen Hilfsmittel, vom gravierten Kamm über den ziselierten Schuhlöffel bis hin zum bestickten Taschentuch fürs Putzen ihrer Lesebrille; den ganzen Tag über zog sie Gegenstand um Gegenstand aus passenden Beutelchen, Döschen und Böxchen, benutzte sie sorgfältig, fast andächtig, und ließ sie danach wieder in ihrer Verpackung verschwinden. Vermutlich, dachte Ada, hat der

Verlust von Leo sie dermaßen verunsichert, dass sie beschlossen hatte, sich nur noch an Gegenstände zu halten, weil Gegenstände ersetzbar waren.

»Wir liegen nur so da«, sagte Ada, »so was gibt's. Wir sind Mitbewohner, Miteinanderwohner, sonst nichts.«

»Ach papperlapapp«, sagte Maria und zog eine kleine Dose aus Porzellan aus dem roten Beutel, die sie als Aschenbecher benutzte, obwohl vor ihr einer auf dem Tisch stand. »Manchmal«, sagte sie, »sind die Ohren die besseren Augen.« Sie zupfte ein paar Kresseblättchen aus einer der Untertassen neben der Balkontür und schnupperte daran. »Und wenn er dann auch noch kochen kann: Wart's nur ab. Selbst wenn es stimmt, was du erzählst, das Spielchen werdet ihr nicht ewig durchhalten.«

»Ich hab gehört, dass Bettina uns im Herbst verlassen will«, sagte Ada, der das Thema allmählich auf die Nerven ging, »angeblich hat sie ein Angebot bekommen, irgend so eine Telenovela im deutschen Fernsehen.«

Maria nickte, »du könntest ihren Part übernehmen«, sagte sie, »dann hättest du endlich mal wieder eine Sprechrolle, eine Leiche findet sich immer. Außerdem spielen wir ab Herbst vielleicht dreimal die Woche, das Geld könntest du doch sicher gebrauchen.«

»Sicher«, sagte Ada.

»Wenn du bis dahin nicht längst woanders bist.«

»Genau.«

Maria legte ihren Kaffeelöffel behutsam neben die Tasse. »Ada, was ist los mit dir? Warum lässt du alle Chancen, hier wegzukommen, schleifen? Ist es wegen dem hübschen Goldschmied?«

Ada stand auf. »Du hörst dich an wie meine Mutter, Chance hier, Chance da. Du weißt nichts über meine Chancen. Niemand weiß etwas über die Chancen anderer, außer dass es nicht seine eigenen sind. Und was Juri angeht: Da ist nichts. Basta. Liebe ist etwas für Leute, die nicht allein sein können. Nichts als Einbildung. Wissenschaftlich betrachtet sogar eine Form der Psychose.«

»Und solche Sprüche«, sagte Maria, »sind etwas für Leute, die lieber vorgefertigte Argumente auswendig lernen, anstatt selbst etwas zu erleben. Meinst du nicht, man sollte alles von mindestens zwei Seiten betrachten?«

»Ich habe das Ganze schon *zu* oft von *zu* vielen Seiten betrachtet«, sagte Ada, »und ich kann dir sagen: Am Anfang und am Ende sieht es immer gleich aus. Und für das bisschen zwischendrin lohnt sich der Aufwand nicht.«

»Kindchen«, sagte Maria, »wogegen wehrst du dich so sehr?«

»Warum fällt es dir so schwer zu glauben, dass ich vielleicht ganz gerne bei *Mord an Bord* arbeite«, sagte Ada, »dass mir das reicht, dass ich weder einen Mann noch eine andere Arbeit will?«

»Vielleicht«, sagte Maria, »weil du es selber nicht glaubst.«

Ada stand auf. Sie hatte genug. »Ich sollte jetzt wirklich anfangen zu proben.«

Maria erhob sich und drückte ihr einen dicken Kuss auf die Wange. »Du solltest mal einen ordentlichen Joint rauchen«, sagte sie, »das entspannt. Ich hab noch was unten, soll ich dir einen drehen?«

Ada schüttelte den Kopf, »danke«, sagte sie, »ich weiß noch, wie es mir beim letzten Mal ging, als du mir eins deiner kleinen harmlosen Tütchen gebastelt hast, da habe ich stundenlang kichernd in Unterwäsche auf dem Küchenboden gesessen und Ovomaltine aus der Büchse gelöffelt. Hinterher hatte ich eine Blasenentzündung.«

»Wie auch immer«, sagte Maria, »wenn du reden willst, du weißt, wo du mich findest.«

Nachdem Marias Schritte im Treppenhaus verstummt waren, setzte Ada sich wieder auf den Balkon, sie legte die Beine auf dem warmen Geländer ab und lauschte in den Vormittag hinein, versuchte, an den Sätzen vorbeizulauschen, die Maria gesagt hatte und die sich irgendwie festgehakt hatten in Adas Trommelfell. Nach ein paar Minuten bog ein schmales, dunkles Auto in die Straße ein mit zugezogenen Vorhängen, ein Leichenwagen, da bestand kein Zweifel. Ada schauderte, auch das noch, dachte sie und hoffte, dass der Wagen an keinem der umliegenden Häuser haltmachen würde. *Leutenegger,* stand auf der Tür des Wagens, *Ihr vertrauenswürdiger Partner im Trauerfall – Überführungen und Bestattungen weltweit.* Dass die es überhaupt nötig haben, Werbung zu machen, dachte Ada. Aber dann sprang sie auf und holte ihren Computer. Der Wagen, der inzwischen im Schritttempo um die Ecke gebogen war, hatte sie auf eine Idee gebracht.

7

Das Vor- und Nachwachsen der Bäume

Auf dem Friedhof roch es nach trockenem Gras und warmen Steinen, ein leichter Wind streifte durch die alten Bäume und schaukelte schlappe Vögel in den Halbschlaf. Es hätte ein schöner Ort sein können. Trotz Mittagshitze fröstelte Ada, sie spürte kalten Schweiß, der ihr das Hemd an den Körper klebte. Mit klammen Händen faltete sie den Plan auseinander, den ihr die Frau im zuständigen Büro gegeben hatte. Auf dem glänzenden Papier sah der Friedhof steril und berechenbar aus, so gar nicht wie der stadtferne Platz für verwesende Körper und Erinnerungen, der er war. Ada suchte auf dem Plan nach den günstigsten noch verfügbaren Grabparzellen, die Frau hatte sie mit einem grünen Filzstift markiert, wie die Damen in Touristenbüros die Sehenswürdigkeiten auf den Stadtplänen markieren: hektisch, mit auswendiggelerntem Lächeln und einwandfrei manikürten Fingernägeln, hier und hier und da hinten, am Zaun entlang. Mit zusammengekniffenen Augen schaute

Ada über das Friedhofsgelände, die markierten Parzellen mussten weiter hinten sein, im Schatten. Die Plätze an der Sonne waren, wie überall, erheblich teurer, daran änderte sich offenbar auch für die Toten nichts. »Mach schon«, zischte sie sich zu und schlug zögerlich den schmalen Kiesweg ein, der als Einziger zwischen den Gräbern hindurch direkt zur Kapelle führte. Ganz hinten, in der Nähe der Kapelle, sah Ada einen Gärtner, der mit seiner Schubkarre die Grabreihen entlangging und sich hie und da bückte, um etwas auszureißen oder zurechtzubüscheln. Ein Gärtner, das war doch immerhin beruhigend. Neben der Kapelle stand ein Wagen der Firma *Leutenegger*, ansonsten war Ada allein, so allein zumindest, wie man sich, je nach persönlicher Empfindsamkeit, auf einem Friedhof eben fühlen kann. Ein paar Schritte lang fühlte Ada sich mutig und gefasst, betrachtete sogar ein paar der umliegenden Gräber, las die Inschriften auf den Steinen, alles, wie sie es sich vorgenommen hatte. Dann aber stieß sie zu ihrer Rechten auf ein frisch ausgehobenes Grab. Sie konnte die feuchte Erde riechen, die Kälte in jedem dieser kleinen Erdklümpchen, die später auf den Sargdeckel drücken würden. Sie musste sich zwingen, zwei Schritte näher zu treten, so nah, dass sie über den Rand dieses künstlichen Abgrunds blicken konnte. Das Loch war unheimlich tief, zwei Meter mindestens; Ada war schwindelig, ihre Zunge klebte trocken am Gaumen. Aber wegrennen kam nicht in Frage. Sie öffnete den Faltplan, den sie in ihrer Faust zerknittert hatte, und spannte ihn so auf, dass sie das ausgehobene Grab vor sich nicht mehr sehen konnte. Einen Moment verschnaufen; an die manikürten Fingernägel der Bürodame denken, an Büroklammern und automatische Schiebetüren, an Dinge für Lebende. Und erst dann zurück zu den Toten. Von dem großen Haufen klaubte Ada ein Erdklümpchen und steckte es als Beweisstück in die Tasche. Sie lenkte ihren Blick vom Plan weg auf die Grabmale. Viel Marmor, grob oder glatt geschliffen, andere Steine, deren Namen Ada nicht kannte, Kugeln, Tafeln, Monolithe, kupferne Rosenzweige, silberne Lettern. So ein Grabmal solle dem Wesen des Verstorbenen gerecht werden, hatte die Dame im Büro ihr erklärt. Ada krampfte sich der Bauch zusammen, wenn sie daran dachte, wie ihre Mutter oder Hendrik oder sonst jemand, der glaubte, sie zu kennen, darüber entschied, welches Motiv ihrem Wesen gerecht wurde.

Weiter jetzt, in den Friedhof hinein, einen Fuß vor den anderen. An jedem Grab blieb Ada kurz stehen und las die Namen auf den Grabmalen, stellte sich Gesichter dazu vor und rechnete: Fünf

Jahre vor mir, unverschämt alt, dreißig Jahre älter, viel zu jung. Dabei murmelte sie die jeweils möglichen Todesursachen vor sich hin: Hautkrebs, Darmkrebs, Bootsunfall, Herzinfarkt, Blinddarm, Wespenstich, Flugzeugabsturz, Grippe, Salmonellen. Manchmal lehnte am Kreuz oder am Grabstein ein gerahmtes Foto, was das Erdrückendste überhaupt war: so ein waches Kinderlachen inmitten dieser vergrabenen Gesichter. Adas Hände wurden kälter und schwitziger von Grab zu Grab. Ob schon mal jemand während einer Beerdigung gestorben ist, fragte sie sich im Weitergehen. Vor einer der markierten Parzellen im hinteren Teil des Friedhofs, einem Fleckchen Gras im Schatten einer Kastanie, blieb sie schließlich stehen. Hier also. Hier würde sie einmal liegen. Oder hier. Oder dort drüben. Ihre linke Hand hatte sie auf dem Hinweg so lange und so fest zu einer Faust zusammengepresst, dass vier kleine, schmerzende Halbmonde auf der Handfläche pochten. Sie kniete sich hin und fuhr mit der verspannten Hand durchs stoppelige Gras. Vielleicht nur Moos, dachte sie, so schattig, wie es hier ist, vielleicht auch ein paar Gänseblümchen, wer weiß; von so weit unten sieht man ja nicht einmal Wurzeln. Sie dachte ein Loch in die Erde vor sich, dachte sich den feuchtkalten Geruch, die Enge, einen Steinklotz, auf dem ihr Name stand, ihr ganzer Name, und zwei Jahreszahlen, die nur ein bisschen mehr als zwanzig Jahre auseinanderlagen. In ihren Schläfen pochte es, und als sie aufstand, spürte sie, wie sich der Schweiß, der sich in ihrer Kniekehle gesammelt hatte, löste und langsam ihre Wade entlangrann. Sie wischte ihre Hände am Rock ab und holte den zweiten Prospekt aus ihrer Tasche, um sich aus diesem Loch herauszudenken, ohne auf der Stelle den Friedhof zu verlassen. Sie öffnete den Prospekt auf Seite sechs, wo dieselben grünen Dienstleistungskreuzchen an den Papierrand gestrichelt waren wie auf dem Friedhofsplan. »Aber sicher doch«, hatte die eifrige Dame im zuständigen Büro gesagt und mit ihrem künstlichen Fingernagel einen der Särge im Prospekt umkreist, »hier, das Modell *Universum* ist eine solide Wahl, Fichte mit Naturlackbehandlung, oder hier, das Modell *Licht* mit einer sehr schönen optionalen Satinpolsterung, und was ich Ihnen ebenfalls wärmstens empfehlen kann, ist das zurzeit beliebteste Modell mit dem schönen Namen *Kirschblüte*, ein Sarg, der sich sehr gut zur individuellen Gestaltung eignet, falls Sie es vorziehen, ihn selbst zu bemalen, das machen jetzt viele. Aber das sind natürlich dementsprechend zusätzliche Kosten.«

»Danke«, hatte Ada nicht ohne Sarkasmus gesagt, »so professionell wie Sie das alles hier vermarkten, gehe ich davon aus, dass man die Kisten auch irgendwo probeliegen kann?«

Die Dame hatte einen kurzen Moment die Augen aufgerissen, sie schien nach den richtigen Worten für ihre Irritation zu suchen und es dann aber für das Professionellste zu halten, einfach zu nicken wie jemand, der so etwas gewohnt ist, wie jemand, für den das Sterben anderer Leute eben trotz allem ein Geschäft ist. »Da wenden Sie sich wie gesagt am besten an die aufgeführten Bestattungsunternehmen«, hatte sie gesagt und Aufniewiedersehen gelächelt.

Ada knüllte den Prospekt zusammen, ganz klein, so klein, dass er in ihrer Faust verschwand; sie wusste nicht einmal, wie eine Fichte aussah, nicht jetzt jedenfalls, vielleicht hatte sie nie im Leben eine Fichte gesehen, und am Ende, dachte sie, liege ich in einer Kiste aus Holz von einer Sorte Baum, in deren Schatten ich mich nie gelegt habe an einem heißen Tag, ein Baum, von dem ich nicht weiß, ob daran Nüsse wachsen oder Zapfen oder sonst etwas außer Blättern, das im Herbst dann hinunterfällt, irgendein Baum womöglich, den sie gezüchtet haben in einer Baumschule, Ast an Ast mit anderen Totenbäumen, den sie schon im zartesten Alter zerhackt haben und dann verschifft oder verschickt in eine der umliegenden Städte, um darin eine dieser mittellosen Schauspielerinnen zu verbuddeln, die sich das Modell »Kirschblüte« nicht leisten konnten. Wie viele Särge, dachte sie, wachsen in einem Baum?

Ada knetete das Papierknäuel zwischen ihren Fingern. Sie versuchte die Bäume wahrzunehmen, die Vögel darin, das bisschen Wind; aber die Vorstellung, da unten im vollkommenen Dunkel zu liegen und nicht einmal mehr den stumpfen Blick der Holzaugen im Sargdeckel erwidern zu können, ließ sie nicht los. So wird das nämlich sein, dachte sie, man wird daliegen und bis in alle Ewigkeit versuchen, seine Augen an die Dunkelheit zu gewöhnen, aber man wird nichts sehen, rein gar nichts, nie wieder, nur das, was die eingekopfte Leinwand einem abspielt, das, was sich zufällig verfangen hat in der Erinnerungsspule.

Und vor wessen Augen, dachte sie, wird ein Bild von mir flimmern in der letzten Vorführkammer? Ada war schwindlig und heiß, es hatte keinen Zweck, hier noch länger zu bleiben. Nichts war besser oder anders geworden an diesem Vormittag, an diesem Ort, wo vermutlich sogar die Vögel flüstern würden, wenn sie könnten. Es bleibt dabei, dachte sie: Friedhöfe sind Orte für Menschen, die Pech gehabt haben. Entweder, weil sie sich selbst oder jemand anderen verloren haben; und jemand, auf den weder das eine noch das andere zutrifft, hat hier nichts zu suchen. Denn was jemand wie ich hier findet, ist nichts als die banale und hundertfach in Stein gemeißelte Versicherung, dass man selbst irgendwann verloren sein wird, dass es keinerlei Ausnahmen gibt.

Ada ging schnell und mit gesenktem Kopf, nichts wie weg, zurück in den gnädigen Stadtlärm, wo das Geräusch von Milchschäumern, parkplatzsuchenden Autos und mit Einkäufen bepackten Passanten im Endlosloop den verführerischen Soundtrack des ewigen Lebens abspulten. Jedenfalls bis es dunkel wurde.

Auf einmal meinte sie, Musik zu hören, von der Mitte des Friedhofs her. Sie blieb stehen. Aber keine Kirchenmusik, kein Trauermarsch, sondern etwas, das klang wie der Jingle einer Joghurtwerbung. Ada schlug einen der kleineren Wege ein, die Richtung Friedhofsmitte führten. Sie horchte sich vorwärts, bis die Musik abbrach und stattdessen eine weibliche Stimme zu hören war, eine typisch tiefergelegte Radiostimme, die von vereinzelten Gewittern auf der Alpennordseite sprach, von Temperaturen um die sechsundzwanzig Grad, davon, dass der Sommer nun also endlich sogar in der Schweiz angekommen sei und man doch trotzdem nicht vergessen möge, sich auch im Schatten einzucremen. Ada vergaß ihre schwitzigen Hände und das stille Dröhnen im Kopf. Sie ging auf eine Reihe von Grabsteinen zu, hinter denen das Geplapper hervorzuwabern schien. Schließlich war sie so nahe, dass sie über die Steine hinwegblicken konnte und sehen, dass da ein junger Mann mit blonden Haaren auf einem Klappstuhl saß und vornübergebeugt am Lautstärkeregler eines kleinen Funkradios drehte, lauter drehte und sich wieder aufrichtete. Ada blieb erschrocken stehen, als Juri den Kopf hob und sie geradewegs ansah. Auch er schien erschrocken, denn die Bierflasche, die er in der Hand hielt, rutschte zwischen seinen Fingern Richtung Boden, gerade noch konnte er sie am Hals greifen und zwischen den Knien festklemmen. Er sah Ada unverwandt an und sagte nichts.

»Was machst du hier?«, fragte Ada.

Juri fing sich, umfasste die Flasche mit seiner linken Hand und stellte sie neben sich auf den Boden. »Darf ich vorstellen«, sagte er und zeigte auf die trockene, unbepflanzte Erde vor sich: »Mein Vater.«

Jetzt war es Ada, die nichts mehr sagte. Was für eine dumme Frage. Sie schaute auf das Radio und auf die Bierflasche, die Juri zurück in die Hand genommen hatte, auf die Flaschenöffnung, wo eine Fliege balancierte und sich dann still hinsetzte, wie um zuzuhören.

»Entschuldige«, sagte Ada, »ich glaube, es ist besser, wenn ich dich – also wenn ich *euch* allein lasse.«

»Neinnein«, sagte Juri, »bleib doch und trink einen Schluck mit uns, wo du schon mal hier bist.«

Er kramte in seinem Rucksack und zog eine Thermoskanne hervor, schraubte den Deckelbecher ab und blies einmal hinein, er verscheuchte die Fliege von ihrem Logenplatz und goss ein wenig Bier in den Becher. »Hier, du kannst meinen Stuhl haben«, sagte er laut, während die Synchronstimme von Bruce Willis aus dem Radio dröhnte und Werbung machte für einen Baumarkt, bei dem es zwanzig Prozent Rabatt gab auf alles ohne Stecker. »Ich war auf Besuch nicht vorbereitet«, sagte Juri. Er stand auf, prostete Ada zu und nahm einen kleinen Schluck aus der Flasche.

Auch Ada nahm einen Schluck Bier und merkte, wie durstig die Hitze sie gemacht hatte.

»Warum sind da keine Blumen auf dem Grab?«, fragte sie.

»Was?« Juri bückte sich zum Radio und drehte leiser.

»Ich kann dir helfen, das Grab zu bepflanzen«, sagte Ada, »weißt du, welche Blumen dein Vater mochte?«

»Nicht nötig«, sagte Juri, »mein Vater machte

sich nichts aus Blumen, die meisten fand er kitschig. Ich habe Rasen angesät, aber das dauert noch eine Weile, bis der sprießt.«

Ada nahm noch einen Schluck, bevor sie Juri den leeren Becher zurückgab. Juri zeigte auf das Radio, als hätte er Adas Gesichtsausdruck die Frage danach angesehen. »Mein Vater hat fast immer Radio gehört«, sagte er. »Beim Arbeiten, beim Kochen, beim Duschen, beim Autofahren, manchmal sogar beim Schlafen, immer hatte er dieses Radio dabei. Er hat es genossen, sich über die schlechte Musik und die Werbung aufzuregen. Und wenn zwischendurch etwas Gutes kam, war es ihm auch recht, dann hat er sich eine Pause gegönnt und statt rumzunörgeln mit dem Fuß gewippt. Das Gerätchen hat ihn sehr zufrieden gemacht. Und was machst *du* eigentlich hier?«, fragte er.

»Och«, sagte Ada und winkte ab, »ich bereite mich vor.«

Juri runzelte die Stirn.

»Auf eine spätere Rolle.«

»Ach so.«

Ada setzte sich auf den Klappstuhl, den Juri ihr angeboten hatte, das Plastikpolster brannte heiß gegen ihre Oberschenkel. Im Radio forderte eine Boygroup dazu auf, den Körper mal wieder so richtig durchzuschütteln und mit den Händen in

der Luft herumzufuchteln. Juri stand gedanken-
versunken da und tippte mit der Fingerkuppe den
Rhythmus des Liedes aufs Flaschenglas. Er sah
müde aus.

»Warum ‚wohnst du eigentlich nicht bei deiner
Mutter?«, fragte Ada.

Juri trank den letzten Schluck aus seiner Flasche
und wischte sich mit dem Arm über den Mund,
wischte vielleicht gerade die Antwort weg, die er
darauf hätte geben können. »Lass uns abhauen«,
sagte er, »die Sonne brennt mir gleich ein Loch in
den Schädel.«

»Das ist doch unwürdig«, sagte Ada beim Hinausgehen und zeigte auf den überdachten Snackautomaten am Friedhofseingang, »jeder kann sich hier
Kaffee rauslassen und Schokoriegel und Kondome.
Wie in einem Warenhaus oder einer Bahnhofsunterführung. Von wegen Ruhe.«

»Ich weiß nicht«, sagte Juri, »ich finde, das tut
dem Ort gut. Als Kind konnte ich immer am besten einschlafen, wenn sich die Erwachsenen unten
in der Küche noch unterhalten haben. Die Stimmen, das Geschirrgeklapper, es ist doch beruhigend, wenn andere um einen herum das Leben
weiterführen.«

Draußen vor dem Friedhof blieb Juri stehen. Er

klemmte das Funkradio unter den Arm; »also dann«, sagte er.

»Wie kommst du denn hier weg«, sagte Ada, »du hast ja gar kein Fahrrad hier, und der Bus ist gerade erst weggefahren.«

»Macht nichts«, sagte Juri, »ich gehe zu Fuß, bin ja auch schon zu Fuß gekommen.«

»Wieso das denn«, sagte Ada, »das dauert doch Stunden. Hast du kein Fahrrad? Ich könnte dir eins leihen.«

»Selbst wenn ich ein Fahrrad hätte«, sagte Juri, »könnte ich nicht damit fahren.«

»Das ist nicht dein Ernst«, sagte Ada, »jeder kann Fahrradfahren.«

»Ich eben nicht«, sagte Juri und wandte sich zum Gehen.

»Moment«, rief Ada und rannte ihm hinterher. »Also wenn du das jetzt nicht lernst, dann lernst du es nie. Leg deinen Rucksack weg, ich verspreche dir, in zwei Stunden kannst du das.«

Juri zögerte, legte dann aber seinen Rucksack und das Radio auf dem morschen Picknicktisch neben der Bushaltestelle ab. Ein paar Eidechsen schreckten blinzelnd aus ihrem Nachmittagsschlaf auf.

Ada hielt ihr Fahrrad am Gepäckträger fest, und Juri setzte sich in den Sattel.

»Also«, sagte Ada, »du setzt jetzt deine Füße auf die Pedalen und trittst, bis du ein wenig im Schuss bist, dann lass ich los, und du rollst einfach noch ein Stück weiter, da an der Bushaltestelle vorbei und weiter bis zum Picknicktisch.«

Juri nickte und trat in die Pedalen, aber sobald Ada den Gepäckträger losließ, begann das Rad zu schwanken, und Juri musste sich mit den Füßen abstützen, um nicht hinzufallen.

»Dein Vorderlicht ist kaputt«, sagte er und zeigte auf die kleine Lampe, die nur noch vom Kabel gehalten wurde und übers Schutzblech fast bis in die Speichen baumelte.

»Die Tage werden jetzt ja zum Glück länger«, sagte Ada und griff nach dem Gepäckträgergestänge, eine Hand legte sie stützend auf Juris Rücken, in die Kuhle zwischen seinen Schulterblättern, wo das T-Shirt vom Schweiß schon etwas feucht geworden war.

»Wie ist das eigentlich mit deinen Eltern«, fragte Juri, »leben sie noch?«

Vorsichtig schob Ada Juri an. »Ja«, sagte sie, »irgendwo zwischen vorgestern und hinter dem Mond.«

Juri trat erneut in die Pedalen. »Dann siehst du sie wohl nicht besonders oft?«

Ada lockerte ihren Griff um den Gepäckträger.

»Ach«, sagte sie, »wenn ich meine Eltern sehe, dann
zerreden sie ohne Punkt und Komma alles, was ich
tue, und wenn sie mal schweigen, dann schweigen
sie nicht, dann wetzen sie ihre Stimmen. Sie finden,
ich komme nicht vom Fleck. Meine Mutter findet
es erschütternd, wie wenig ich aus der Freiheit mache, die sie mir auf der Straße hart erkämpft hat; aus
mir ist keine Tochter geworden, mit der sie angeben
kann. Und für meinen Vater sind Träume die Blind-
därme der Phantasie, Wurmfortsätze, von denen
keiner weiß, wozu sie gut sind, und die lediglich die
lästige Tendenz haben zu platzen.«

Juri lachte: »Ach, so einer ist das. Ein Realist. Das
sind die Schlimmsten.«

Ada fasste Juri mit einer Hand am Arm und ging
nun neben ihm her, rannte schon fast, als Juri beschleunigte, mit der anderen Hand hielt sie noch
immer den Gepäckträger fest, und Juri versuchte,
das Gleichgewicht zu halten, wacklig knirschte das
Fahrrad über den Kies. Plötzlich war die Luft
schwer vom Geruch des Holunders, der seinen
Schatten jetzt bis über die Bushaltestelle warf. Juri
fixierte konzentriert den Picknicktisch, auf seinem
Nasenrücken sammelten sich kleine Schweißper-
len. Aber jedes Mal, wenn Ada ihre Hand vom
Gepäckträger löste, fing das Fahrrad an zu schwanken.

»Was weiß ich«, sagte Ada, »vielleicht haben sie sogar recht. Als ich zum ersten Mal auf der Bühne stand, war das sehr befreiend, auch wenn ich es anfangs vielleicht nur aus Rache tat, um das zu tun, was meine Mutter nicht hatte tun können. Ich war plötzlich Teil einer Geschichte, *hatte* eine Geschichte. Auf der Bühne habe ich aufgehört, mich nur um meine eigene Leere zu drehen. An einem Theater, egal wie klein es sein mag, gibt es immer genug Leute, die die Illusion aufrechterhalten, dass das, was man tut, von Bedeutung ist. Und trotzdem ist da diese Angst davor, meine Zukunft zu zerdrücken, wenn ich sie anpacke. Immerhin habe ich ihr schon ein paar gehörige Dellen verpasst.«

Ada ließ den Gepäckträger und Juris Arm los. Diesmal schaffte er es ein gutes Stückchen weiter, bevor das Vorderrad wegrutschte.

»Was denn für Dellen?«, fragte er und wischte sich mit dem Handrücken die Anstrengung aus dem Gesicht.

»Vor einiger Zeit habe ich mein gesamtes Erspartes in ein Kleintheater investiert«, sagte Ada, »die *Brotbüchse,* ein kleines Gebäude unten am Hafen. Es war eine tolle Zeit. Bis der Regisseur, dem der Schuppen gehörte, mit dem ganzen Zaster und unseren Löhnen abgehauen ist. Angeblich hatte er Spielschulden. Wenn ich könnte, dann würde ich die *Brotbüchse* zurückkaufen. Vielleicht gelingt mir das ja, wenn ich achtzig bin.« Ada betrachtete die drei Schatten, die über den Kiesplatz schabten, und fragte sich, warum sie Juri das alles überhaupt erzählte.

Juri setzte sich wieder in den Sattel. »Eigentlich müsste es *Zukünfte* heißen«, sagte er. »Dann wären wir alle viel entspannter.«

Ein paar Anläufe später, als ihre Schatten schon länger geworden waren, brauste Juri schon sicher über den Parkplatz. Es schien ihm Spaß zu machen. Dicht neben Ada bremste er und grinste. »Lass uns morgen einen Ausflug machen«, sagte er, »wir fahren irgendwohin zum Fischen und Faulenzen und machen uns einen schönen Abend, was meinst du.«

»Zum Fischen wirst du mich nicht kriegen«, sagte Ada, »nur über meine Leiche.«

»Entschuldigung«, sagte Juri, »manchmal vergesse ich, wie sehr du an diesen schlüpfrigen Biestern hängst. Dabei verpasst du etwas. So ein Fisch ist wirklich gutes Material. Es gibt nichts Sinnlicheres, als eine selbstgefangene Forelle auszunehmen und das kalte Fleisch dann mit Zitrone, Knoblauch und Rosmarin zu füllen, dazu vielleicht junge Artischocken und Fenchel-Orangensalat mit Honigkresse, ein paar geröstete Mandeln. Und dann kann man durch die Backofentür beobachten, wie das Fleisch seinen Aggregatzustand ändert.«

»Ich sollte dir einen meiner Fische schenken«, sagte Ada, »für den du dann verantwortlich bist, vielleicht steigert das deine soziobiologische Emotionalität. Ja«, sagte Ada, »du bekommst Pablo, den fetten Putzer, er ist sehr anspruchsvoll und braucht mehr Aufmerksamkeit als die anderen, er mag es auch, wenn man ihn ab und zu aus dem Wasser hebt und ein wenig unter den Flossen krault, er braucht viel Zuneigung, sonst fängt er an, die Scheiben zu vernachlässigen.«

Juri lachte und schob das Fahrrad kopfschüttelnd Richtung Picknicktisch. »Unter den Flossen kraulen«, murmelte er. »Mein Großvater hatte vollkommen recht mit dem, was er über dich gesagt hat.«

»Was hat er denn gesagt?«

»Dass du verrückt bist. Gerade verrückt genug, so hat er es gesagt. Über die meisten Menschen schüttelt er ja nur schweigend den Kopf. Aber dich und Maria, euch mag er irgendwie.«

»Also wenn er es auf Maria abgesehen hat«, sagte Ada, »dann sollte er mal zu einer unserer Vorstellungen kommen. Bei Komplimenten zu ihrem Auftritt wird sie schwach.«

Juri stellte das Fahrrad unter dem Holunder ab.

»Ehrlich gesagt, bezweifle ich, dass er je irgendetwas unternehmen wird.«

Er kramte in seinem Rucksack, holte zwei grüne Äpfel hervor und bot Ada einen davon an. Ada nahm den Apfel und rieb ihn an ihrem Rock glänzend.

»Meine Mutter ist in Indien«, sagte Juri plötzlich, »ich habe sie seit meinem fünfzehnten Geburtstag nicht mehr gesehen. Sie hat mich und meinen Vater verlassen, als ich acht war. Mein Vater war für sie plötzlich jemand geworden, der mit seinem Schmuck dem westlichen Kapitalismus in die Hände arbeitete. Sie wollte sich abwenden von allem Materiellen, sich selbst finden, all so was. Ich habe versucht, sie unter ihrer Adresse in Goa zu erreichen, aber da ist sie nicht mehr. Vielleicht taucht sie irgendwann hier auf, unangemeldet. Das wäre nicht das erste Mal. Eigentlich hat *sie* mir das beibringen wollen. Das Fahrradfahren. Jedes Mal hat sie gesagt, dass sie sich beim nächsten Besuch Zeit nimmt. Und ich habe es mir aufgespart, damit ich es jedes Mal aufs Neue einfordern kann. Damit ich überhaupt etwas einfordern kann.«

»Das ist nicht in Ordnung«, sagte Ada, »dass du das alles hier so alleine durchmachen musst.«

Juri lächelte. »Jetzt hast du Sonnenbrand. Hier und hier«, sagte er und berührte sie an der Nasenspitze und an der Wange mit zwei kurzen, behutsamen Bewegungen. Er stand ganz dicht vor ihr. So dicht, dass sie die Sommersprossen über seiner Oberlippe hätte zählen können.

An sich wären diese Berührungen nichts Besonderes gewesen, aber so, wie Juri jetzt vor ihr stand, enthielten sie schon die nachfolgenden Berührungen, waren ein Doppelpunkt, der nie ohne Fortsetzung bleibt. Rasch verschloss Ada sich mit dem Apfel den Mund; und um nicht mehr in Kussnähe zu Juri zu stehen, bückte sie sich und machte einen zweiten Knoten in ihren rechten Schnürsenkel.

Juri biss jetzt auch in seinen Apfel, wischte sich den Mund mit dem Handrücken ab und schaute Ada dabei seltsam an. Immer wieder biss er sich den Mund mit Apfelfleisch voll. Langsam und gründlich nagte, malmte und schluckte er, ohne sich von der Stelle zu rühren, bis er sich hinsetzte und das abgekaute Kerngehäuse vor sich auf den Tisch legte wie eine erledigte Arbeit.

Jetzt war es Ada, die sich hastig in ihren Apfel verbiss, Stück für Stück erbiss sie sich ein paar Sekunden Schweigen, auch das Gehäuse aß sie mit, die Kerne, alles, nur den Stiel ließ sie übrig. Sie setzte sich und legte ihn vor sich auf den Tisch.

Erneut kramte Juri in seinem Rucksack und holte

die Thermoskanne hervor, zog am Teebeutel, den er offenbar darin vergessen hatte, wickelte die dünne Schnur um den Beutel und presste ihn aus. Adas Augen fuhren seine Finger entlang. Etwas von ihr lag auf einmal da in seiner Hand, eingeschnürt in die nasse Teebeutelschnur. Sie kannte das, diesen Moment der stillen Verschiebung. Das Gefühl von heißem Wasser im Bauch. Und diese Gänsehaut, die plötzlich ihre Glieder umspannte wie zu enge Kleidung.

»Dass du bei dem Wetter heißen Tee trinken kannst«, sagte sie, etwas laut vielleicht.

Juri sagte nichts dazu, er legte den ausgepressten Teebeutel neben das Apfelgehäuse und schwieg weiter. Er sah sie immer wieder an mit einem Blick, den sie nicht deuten konnte, als würde er irgendetwas suchen in ihrem Gesicht, das er dort vergessen hatte. Ada stützte den Kopf in die Hände, ihre Brüste berührten die Tischkante, sogar die leicht kühlere Temperatur des Holzes unter ihren Brüsten hatte jetzt etwas mit Juri zu tun, mit seinen Händen um den Thermosbecher, seinen Handflächen, seinem Griff. Juri drehte den Becher in den Händen, und Ada zwang ihren Blick auf die Tischplatte, begann die Holzaugen zu zählen, die auf sie gerichtet waren. Das alles gefiel ihr nicht. Bis jetzt war alles zwischen ihnen ein Spiel gewesen, das sie kannte, eines, in dem sie geübt war. Aber irgendwie hatte sie sich auf der Rückseite der Spielregeln verirrt und befürchtete, dass die begonnenen Verschiebungen sich ihrer Kontrolle entzogen.

»Das ist wirklich gefährlich«, sagte Juri plötzlich und in unpassendem Plauderton. Er zeigte auf das kaputte Fahrradlicht. »Kann das nicht dein Freund reparieren? Wie heißt er noch mal, Hendrik?«

»Hendrik ist nicht mein Freund«, sagte Ada barsch. »Wir haben ab und zu dieselbe Vorstellung von Zeitvertreib. Das ist alles.«

Juri rollte ihren Apfelstiel mit der Fingerkuppe hin und her. »Klingt, als würdest du an einer Enttäuschung nagen«, sagte er.

»Ich bin da nicht so der Typ dafür«, sagte Ada.

Juri schnippte den Apfelstiel vom Tisch. »Wofür? Für Enttäuschungen?«

»Für einen Freund«, sagte Ada.

Als sie den Bus hörte, der den Hang hinaufkeuchte, sprang sie erleichtert auf. »Dein Bus«, sagte sie, »dein Bus kommt.«

Sie holte ihr Rad, das am Holunder lehnte, und hob ihre Hand zu einem ungeschickten Gruß in die Luft; »also dann, ich bin noch mit Maria verabredet, bis später.«

Ohne sich noch einmal umzudrehen, brauste sie den Hang hinunter in die Stadt, das kaputte Vorderlicht schepperte dabei laut gegen das rostige Schutzblech.

Es war dann doch nicht einfach nur später, sondern spät geworden, zu warm waren die Steine am Rhein an diesem Abend gewesen, und also hatte sie mit Maria am Ufer gesessen und lauwarmen Weißwein getrunken und gar nicht bemerkt, wie es allmählich eingedunkelt hatte, oder sie hatte es nicht merken wollen, wie auch immer. Auch jetzt, durchs offene Badezimmerfenster, strömte noch immer milde Mückenluft ins Haus, nervös sammelten sich die kleinen Insektenkörper um die Neonröhre über dem Spiegelschrank. Und auch in Adas Bauch zitterten die Nerven insektenhaft um ein beißendes Licht, das immer dann anging und heiß gegen ihre Bauchdecke flackerte, wenn sie an Juri dachte. Es war still in seinem Zimmer, vermutlich lag er im Bett, den Mund voller unerzählter Nachtgeschichten oder noch immer voll mit diesem seltsamen Apfelschweigen, das am Nachmittag zwischen ihnen beiden ausgebrochen war. Nur ab und zu hörte sie Juris Bett knarren, wenn er sich drehte darin.

Sie würde sich einfach in sein Zimmer schleichen und zu ihm ins Bett schlüpfen, nichts sagen würde sie, kein Wort, und dann – sie drehte sich zum Fenster; die Dunkelheit hatte die Scheiben verspiegelt, und Ada betrachtete sich, wie sie dort stand und die Zähne putzte in diesem Ungetüm von Schlafanzug aus hellgelbem Frottee, den sie schon zum achten Mal in Folge trug, was ein neuer Rekord war, ein Rekord, den sie keinesfalls künstlich unterbrechen durfte, auch wenn sie seit acht Nächten unmöglich aussah. Nicht einmal für den Fall, dass – ja was denn eigentlich. Ada spülte den Mund aus und stellte die Zahnbürste zurück ins Glas, der ausgefranste Bürstenkopf pendelte ein paarmal hin und her, kippte dann seitwärts und stand Borste an Borste mit Juris Zahnbürste im Glas. Ada blickte noch einmal auf Juris geschlossene Zimmertür, um sicherzugehen, dass er sie nicht sehen konnte. Dann öffnete sie den Reißverschluss ihres Pyjamaoberteils bis auf Brustbeinhöhe, griff nach ihrem Waschlappen, zog die Pyjamahose bis zu den Knien und wusch sich zwischen den Beinen, trocknete sich, schaute noch einmal zu Juris Zimmertür, alles still. Sie griff nach ihrem Make-up-Täschchen und puderte ihr vom Abschminken gerötetes Gesicht, dann noch einen Hauch Rot auf die Lippen, aber nur wenig, so dass es noch echt aussah. Vor Juris Zimmer ordnete sie noch einmal ihre Haare und machte den Pyjamareißverschluss noch ein Stückchen weiter auf. Sie atmete tief durch und öffnete seine Zimmertür.

Es war offenbar nicht Juri gewesen, der sich gedreht hatte im Bett, jedenfalls nicht alleine, denn auf der Bettkante saß Bettina, oben ohne, gerade dabei, sich ein dünnes Hemdchen überzuziehen. »Du meine Güte«, sagte Bettina, »hast du mich erschreckt.«

Ada umklammerte den Türgriff. Damit hatte sie nicht gerechnet. In ihrem Bauch brannte das Licht durch und ließ eine krampfige Dunkelheit zurück.

»Entschuldigung«, sagte Ada, »ich, ich hatte ja keine Ahnung, dass du, also dass ihr – ich wollte eigentlich nur fragen, wo die Zahnpasta ist.«

Juri, der hinter Bettina im Bett lag, löste seine Hand von ihrer Schulter und setzte sich auf. »Ich muss auch noch Zähne putzen«, sagte er, »ich komm gleich.«

Ada hastete zurück ins Badezimmer, griff nach der Zahnpastatube, die auf dem Waschbeckenrand stand, und versteckte sie hinter dem Duschvorhang. Sie setzte sich auf den Wannenrand und kratzte mit ihrem Blick den Kachelboden rauh, bis Juri kam. Er trug nur eine ausgeleierte Pyjamahose, und Ada musterte die Sommersprossen auf seinem weißen Bauch. Krümel auf einem Teller, den Bettina leer gegessen hatte, dachte sie, dabei isst Bettina nie einen Teller leer. Juri strich mit der Hand über seinen Sprossenbauch, als wollte er die Krümel wegwischen, er schaute sich suchend nach der verschwundenen Tube um. »Vorhin war sie noch da«, sagte er, »da bin ich mir sicher.« Er zuckte mit den Schultern und kramte dann in seiner Waschtasche, »irgendwo habe ich hier noch eine«, sagte er und zog eine Tube hervor, die portugiesisch beschriftet war. Er trennte die beiden Bürstenköpfe und tat sich Zahnpasta auf. Während des Putzens nahm er immer wieder die Zahnbürste aus dem Mund, um zu gähnen. Wieder sah Ada sich frotteegelb in der kleinen Scheibe, wie sie neben Juri zum zweiten Mal die Zähne putzte in dieser Nacht. Auf ihrem linken Handrücken saß eine Mücke, ganz genau konnte sie ihren kleinen Stechrüssel sehen, und sie spürte, wie die Einstichstelle erst leicht zu brennen begann und dann zu jucken, sie hielt inne im Zähneputzen, holte mit der flachen rechten Hand zum Schlag aus und brach die Bewegung dann doch ein paar Zentimeter über der Mücke ab, sie hielt die Hand still in der Luft, so dass die Mücke ganz im Schatten war. Sie schaute dem kleinen Körper beim Saugen zu und ließ die Hand wieder sinken. Wer weiß, dachte sie, so schnell kann es gehen.

Juri nahm die Zahnbürste aus dem Mund, wischte sich mit dem Handrücken das bisschen Schaum vom Kinn und schaute sich im Spiegel an, bevor er ausspuckte.

Mitbewohner, Miteinanderwohner, dachte Ada, sonst nichts. Juris teebraune Schaumspucke glitt über die weiße Waschbeckenkeramik zum Abfluss, und Ada fragte sich, wann genau sie aufgehört hatte, das eklig zu finden. Sie schüttelte den Kopf. Juri wischte sich den Mund an seinem Handtuch ab, »was ist«, fragte er.

»Nichts«, sagte Ada durch den Zahnpastaschaum in ihrem Mund hindurch, »gar nichts.«

»Sie wollte eigentlich zu dir«, sagte Juri. »Wir haben uns ein wenig die Zeit vertrieben, das ist alles.«

»Du musst mir nichts erklären«, sagte Ada, »ist ja auch deine Wohnung.«

»Ja«, sagte Juri. »Schlaf gut.«

Ada drehte den Wasserhahn auf. »Du auch.«

Sie füllte sich den Mund mit Wasser und spuckte alles ins Waschbecken, was sie sonst noch hätte sagen können. Und aus Reflex, sogar ohne hinzuschauen, schlug Ada nach der Mücke auf ihrem Handrücken, auf die Stelle, wo es von neuem zu jucken begonnen hatte. Sie betrachtete das bisschen Blut und das zerquetschte Insekt in ihrer Handfläche, ein Bein bewegte sich noch. »So ist das nun mal«, murmelte sie, »unsere Köpfe sind gefährliche Gärten.«

Siebzehn Zigaretten lang saß Ada in ihrem Sessel vor dem Aquarium mit den Neonsalmlern, die Hand, auf die ihr Kopf gestützt war, schmerzte, ihr linker Fuß, den sie unters rechte Bein geklemmt hatte, war eingeschlafen, aber sie sah keinen Sinn darin, daran etwas zu ändern, sie hatte sich nun mal vorgenommen, in diesem Sessel zu sitzen und die Angst zu erwarten wie einen Gast; jetzt, wo ihr Schlafplatz besetzt war. Während Juri sein silbernes Feuerzeug aufschnappen ließ und Feuer gab, für eine Zigarette davor und eine danach, und wieder eine davor, während er sich in sein viel zu kariertes Laken mümmelte und seine Sommersprossen auf Bettinas Haut verteilte.

Aber nichts passierte, bis Ada schließlich einschlief in ihrem Sessel. Sogar die Angst war in dieser Nacht woanders.

Rücken, Nacken, Beine, Kiefer, sogar die Finger taten Ada weh, als sie im Sessel erwachte. Draußen schon heller Mittag, mindestens; zwei vergnügte Kinderstimmen, dazu das Prellgeräusch eines Basketballs, der immer wieder gegen die Hausmauer knallte. Ada versuchte, die Verspannung aus ihren Gliedern zu strecken, dabei fiel der volle Aschenbecher zu Boden, sie hatte ihn auf ihrem Bauch vergessen. Die Kippen rollten bis zur Zimmertür, die leichtesten Ascheflocken tanzten im Sonnenlicht. Schön, eigentlich, trotzdem fluchte Ada. Mittag also, vielleicht schon Nachmittag, und Juri hatte sie nicht geweckt. Hatte nicht das Radio angestellt in der Küche, nicht mit seinen Stiefeln im Flur herumgepoltert, keine Möbel verrückt nebenan, nicht einen Mucks gemacht, und das an einem Donnerstag. In der Küche tropfte der Wasserhahn in eine Müslischale, ansonsten war es still. Ein Zigarettenstummel klebte an Adas rechter Fußsohle, an der Schwelle zur Badezimmertür streifte sie ihn ab. Die Zahnpastatube stand noch immer hinter dem Duschvorhang, Ada stellte sie zurück an ihren Platz. Bloß nicht daran denken. Juris Zimmertür war nur angelehnt. Durch den Türspalt sah Ada ihn angezogen im Bett sitzen, alleine, er starrte die Schattenlamellen an, die der Rollladen auf die Zimmerwand warf, und drehte kaum den Kopf, als sie das Zimmer betrat.

»Es ist Donnerstagnachmittag«, sagte Ada, »und draußen scheint die Sonne.«

»Soll vorkommen«, sagte Juri und verschränkte seine Arme enger.

Ada setzte sich auf die Matratzenkante, dort, wo gestern Nacht Bettina gesessen hatte. Auf dem Parkett am Fußende lag das benutzte Kondom. Sie zwang sich, woandershin zu sehen.

»Könntest du den Schreibtisch umdrehen«, sagte Juri, »so dass die Beine nach oben zeigen?«

Ada runzelte die Stirn.

»Einfach umdrehen«, sagte Juri, »bitte.«

Mit einer einzigen Handbewegung fegte Ada alle Gegenstände von der Tischplatte, ein paar Stifte, einen Werkzeugkatalog, leere Kaugummipapierchen, Hemden, einen Weinkorken, Kleingeld. Hoffentlich sah Juri ihrer Hand die Wut nicht an. Der Tisch war leichter, als er aussah, sie drehte ihn mit der Platte nach unten und setzte sich dann auf die andere Seite des Bettes. »Besser?«

Juri zuckte mit den Schultern. »Ich wusste, dass das passiert«, sagte er, »dass ich irgendwann genau so hier hocke und die Wand anstarre und nicht weiß, wohin mit mir.« Er nickte, stimmte stumm einem Gedanken zu, der ihm durch den Kopf ging. »Wenn ich in der Goldschmiede sitze und vor mich hin schweige und die angefangenen Aufträge meines Vaters abarbeite, dann habe ich das Gefühl, dass es mich gar nicht gibt.« Er rieb sich das Gesicht, atmete in seine Hände, schaute ins Leere.

»Aber wenn du dich dort so fühlst«, sagte Ada, »warum gehst du dann jeden Tag hin?«

Juri klaubte unsichtbare Flusen von der Bettdecke. »Um keine Entscheidung zu treffen«, sagte er. Ada hörte, dass sein Mund trocken war, als er weitersprach: »Irgendwie habe ich die ganze Zeit damit gerechnet, hierher zurückzumüssen«, sagte er. »Und irgendwie eben auch nicht. Es war eine ganz seltsame Bedrohung. Eine Art Warten, nur verkehrt herum. Vielleicht habe ich deswegen nie etwas Eigenes angefangen.« Es war ein wütender Blick, den Juri ihr jetzt zuwarf, aber die Wut galt nicht ihr, es war eine verlorene Wut, eine nach innen. Er schwieg wieder sein seltsames Schweigen, dasselbe seltsame Schweigen, das er schon auf dem Parkplatz vor dem Friedhof geschwiegen hatte.

»Bis du weißt, wie es weitergehen soll«, sagte Ada, um irgendetwas in dieses Schweigen hinein zu sagen, »könntest du zu deiner Unterhaltung kleine Botschaften in die Schmuckstücke einarbeiten, so was wie Schneewittchen, hässliche Kröte, Prahlhans oder die altgriechische Bezeichnung für Nymphe. Ich habe mal gehört, dass Goldschmiede so was machen.«

Juri sagte nichts. Er saß plötzlich ganz nah. Hatte wahrscheinlich die ganze Zeit über schon so nahe gesessen, nur, jetzt fiel es ihr auf. Er saß so nah, dass sie die portugiesische Zahnpasta in seinem Atem riechen konnte. Und obwohl er lächelte, war sein Blick noch immer wütend. Er betrachtete sie. Ihren Hals, ihre Schläfe, das Muttermal am äußeren Ende ihrer linken Augenbraue, ihre Schultern, ihre

Brüste unter dem gelben Frottee, dann wieder ihr Kinn, ihre Lippen. »All die Ecken in deinem Gesicht«, sagte er. Adas Lider zitterten. Sie wusste, dass er sie jetzt anfassen würde, und war doch überrascht, als er ihr Gesicht zu sich zog. Auch in seinen Küssen steckte Wut, und in seinen Händen, aber er hielt gerade genug davon zurück, um ihr nicht weh zu tun. Vier wütende Hände jetzt, die an Reißverschlüssen und Knöpfen zerrten, die ungeduldig Haut freilegten und den fremden Körper absuchten, als wollten sie sich etwas zurückholen, was dort unrechtmäßig einbehalten wurde, und irgendwo in der Ferne heulte ein Autoradio auf, eine von der Distanz zerhackte Melodie, und für einen Moment war Ada ganz klar, roch ganz bewusst den Unterschied zwischen Juris Bart und der Haut an seinem Hals und begriff, dass sie nicht nur ihren Pyjama, sondern überhaupt jeglichen Schutz abstreifte, wenn sie Juri ihre dünne Haut preisgab, einen Moment lang dachte sie das, dachte übers Aufhören nach, und darüber, wohin die Wut in ihren Händen verschwunden war, dann schlug die Autotür zu, und Juris Gewicht, das sie auf die Matratze drückte, und der Schweiß, der sich zwischen ihren Bäuchen sammelte, die Wut, die weniger wurde, auch in seinen Händen, ließ ihr die Gedanken außer Reichweite rutschen.

Wieder das Prellgeräusch des Basketballs. Wieder die grelle Sonne, und noch immer Donnerstagnachmittag. Nichts sichtbar verschoben, verformt oder verfärbt. Nicht *sichtbar*. Juri lag ganz dicht neben ihr, er schlief, sein Atem roch noch immer nach portugiesischer Zahnpasta, der Schweiß zwischen ihnen war getrocknet. Auf dem Parkettboden am Fußende des Bettes lag ein zweites Kondom. Adas Hände rochen danach. Sie löste sich aus Juris Umarmung. Ihr Bauch hatte sich verkrampft unter seiner warmen Hand. Juri rieb sich die Augen. »Du bist noch da«, sagte er und lächelte. Ada stand auf, stieg in ihren gelben Pyjama und zog den Reißverschluss zu.

Juri setzte sich auf. »Alles in Ordnung?«, fragte er.

Ada vergewisserte sich, dass der Reißverschluss ganz zu war. »Was soll nicht in Ordnung sein«, sagte sie, »so was kann passieren, halb so wild, vergessen wir es einfach.« Die wenigen Sekunden, in denen sie Juris Blick auswich, kamen ihr ewig vor. Sie überlegte, das Kondom aufzuheben und in der Küche in den Müll zu werfen, ließ es aber bleiben. Die beiden Kondome sollten ruhig so nebeneinanderliegen. Das Bild, das sie ergaben, war mit Sicherheit Unordnung genug.

8

Das für sich Behaltene

Es war ein prächtiger Frühsommerabend, wie Ada ihn seit Monaten herbeigesehnt hatte. Gegen neun Uhr abends war es noch immer hell und heiß; zwischen den Pflastersteinen stadteinwärts staute sich die Hitze, in den Bistros und Cafés am Rheinbord kämpften die Gäste mit ihren Portionen, die Vögel saßen schlaff in den umliegenden Bäumen und schienen nur aus Pflichtgefühl vereinzelte Töne von sich zu geben.

Ada schwamm in Rückenlage mit kräftigen Zügen den noch kühlen Rhein hinunter, bis sie Maria mit ihrem roten Sonnenhut am Ufer winken sah. Ein schwerer Blütengeruch, den Ada nicht zuordnen konnte, mischte sich mit dem Geruch des Erdbeerkuchens, den Maria auspackte, als Ada sich tropfend aus dem Wasser ans Rheinbord stemmte. Überall aßen, fläzten und plapperten hitzefaule Menschen, mit Unvorhersehbarem schien hier niemand zu rechnen. Ada wrang das Schwimmwasser aus ihren Haaren.

»Lass uns endlich deinen Erdbeerkuchen anschneiden«, sagte sie.

Maria holte ein Brotmesser aus ihrer Strandtasche, schnitt den Kuchen in zwei Hälften und reichte Ada eine Gabel. »Schau mich nicht so an«, sagte sie, »wenn ich zwanzig Stücke draus mache, zerdrücke ich nur die schönen Erdbeeren, und am Ende essen wir trotzdem den ganzen Kuchen auf. Außerdem kannst du gut noch was auf die Rippen vertragen.«

Sie gabelte sich ein großes Stück Kuchen in den Mund und lehnte sich genüsslich kauend gegen die warme Steinmauer. »Ah«, sagte sie, »jetzt könnte ich sterben.«

»Sag das nicht«, sagte Ada, »so etwas sagt man nicht.«

Maria leckte ihre Gabel ab: »Warum denn nicht? Das wäre doch der perfekte Moment, so mitten in dieser Zufriedenheit, im Badeanzug und mit Erdbeerkuchen im Mund.«

»Lass es einfach«, sagte Ada, »bitte.«

Maria schmunzelte und klaubte mit spitzen Fingern ein paar Erdbeeren von ihrer Kuchenhälfte. Ada zündete sich eine Zigarette an und füllte sich abwechselnd mit Rauch und Kuchen den Mund. An der Litfaßsäule der Fährstation klebte eins dieser grellen Plakate von *Mord an Bord*. Links darüber, von beiden Seiten her fast überklebt mit Werbung für Aufstrich, sah Ada ihr Gesicht auf einer alten Reklame der *Brotbüchse,* das Papier um ihren Mund warf bereits Blasen. Maria folgte ihrem Blick. »Dieses Würstchen von Regisseur gehört endlich ordentlich verknackt«, sagte sie.

»Tja«, sagte Ada, »dafür hat die Kanuschule jetzt ein Lager direkt am Hafen.«

»Mist«, zischte Maria auf einmal und schaute entgeistert zur Fährstation, blitzartig verdeckte sie mit der breiten Hutkrempe ihr Gesicht. »So ein verfluchter Mist«, murmelte sie, »wir müssen sofort verschwinden.«

»Was ist denn los?«, fragte Ada mit vollem Mund, »was hast du denn auf einmal?«

»Gib mir dein Handtuch«, sagte Maria, »schnell, und pack unser Zeugs ein.«

Ada reichte ihr das Handtuch und begann zusammenzupacken. Verstohlen schaute sie dahin, wo Marias Blick erstarrt war. Eine adrette ältere Dame stieg von der Fähre, in Begleitung eines etwas jüngeren Mannes, der einen Sonnenschirm für sie aufhielt. Maria legte sich das Handtuch über Kopf und Schultern und rannte zur Treppe, die hoch auf die Rheinpromenade führte.

»Was ist mit dem Kuchen«, sagte Ada, »lass uns wenigstens noch den Kuchen einpacken.«

»Scheiß auf den Kuchen«, zischte Maria, »mir ist sowieso schlecht.«

Oben angekommen, rannte sie einfach an ihrem Fahrrad vorbei, rannte die Rheinpromenade entlang, rempelte Eis essende Kinder an und flanierende Pärchen, rannte, vornübergebeugt, das Handtuch an den Kopf gepresst, bis sie in das schmale Gässchen einbiegen konnte, das hoch zur Kaserne führte und seiner schattigen Kühle wegen menschenleer war.

Dort erst hielt sie an, stützte sich mit beiden Händen auf den Oberschenkeln ab und keuchte, das Handtuch rutschte ihr von den Schultern und fiel aufs Pflaster, sie machte keine Anstalten, es aufzuheben. Auch Ada rang nach Luft und war froh, Maria eingeholt zu haben. Sie stellte die Strandtasche neben Maria auf den Boden, der Erdbeerkuchen, den sie lose auf die Tücher gepackt hatte, war beim Rennen hin und her geschleudert worden und klebte nun an den Taschenwänden. Ada hob Marias Handtuch auf und warf es in die Tasche, dann setzte sie sich auf die Bank, die am Gassenrand in die Kasernenmauer geschraubt war, ihre Haare klebten nass an ihrer Stirn. Sie fror jetzt und klaubte das Handtuch wieder aus der Tasche, wickelte es um ihren Körper und schnippte eine Erdbeerscheibe weg, die am Handtuchsaum klebte. Maria richtete

173

sich auf und nahm den Hut vom Kopf. Sie zitterte. So hatte Ada sie noch nie gesehen, sie sah so klein aus und alt, und ihre Gesichtszüge waren völlig ausdruckslos, als gäbe es für das, was sie eben gesehen hatte, keine Mimik, als wären ihre Gesichtsmuskeln auf dieses Ereignis nicht vorbereitet gewesen und aus Überforderung erstarrt. Abwesend schob Maria einen Fuß vor den anderen und setzte sich neben Ada auf die Bank. Ada wagte nicht, Maria anzufassen, irgendwie fürchtete sie, sie könnte sie damit erschrecken.

»Was ist denn passiert, Maria?«, fragte Ada leise.

»Was ist passiert«, murmelte Maria, ohne aus dem Satz eine Frage zu machen, wie eine Antwort murmelte sie die Worte ein paarmal vor sich hin, »was ist passiert … Was ist passiert …« Plötzlich hob sie den Kopf und schaute Ada an, schaute vielleicht auch an ihr vorbei. »Sie sah glücklich aus, findest du nicht?«, sagte sie, »richtig glücklich.«

»Wer«, sagte Ada, »wer sah glücklich aus?«

»Sie hat immer noch diese Bäckchen«, sagte Maria, »so was gab es damals bei uns nicht, so was hat man bei uns in Moskau nicht gesehen.«

Ada folgte Marias Blick, aber dort, wo Maria hinschaute, war nichts als der Kasernenparkplatz und Autodächer, über denen die Hitze flirrte.

»Und der Mann sah auch glücklich aus«, sagte

Maria, »die Art, wie er den Schirm für sie gehalten hat …«

Jetzt erst begriff Ada, dass Maria von der adretten Dame an der Fährstation sprach.

»Die Frau, die vorhin von der Fähre gestiegen ist«, sagte Ada, »woher kennst du sie?«

Maria senkte den Kopf und begann, den roten Lack von ihren Fingernägeln zu kratzen. Sie presste die Lippen fest aufeinander, mit Gewalt hielt sie die Worte dahinter zurück und kratzte weiter an ihren Nägeln, kleine rote Lacksplitter fielen auf ihr hellblaues Sommerkleid. Und als sie den Mund schließlich öffnete, überschlugen sich die angestauten Sätze zu einem Stammeln, und es kostete sie ein paar hastige Atemzüge, sie zu ordnen.

»Rita«, sagte sie, »Rita mit den roten Bäckchen. Ihr Vater hatte damals in Moskau zu tun, ein hohes Tier bei der Schweizer Eisenbahn. Seine Tochter hat er mitgeschleppt. Warum auch immer. Leo war zu der Zeit noch Bühnenbildner am Tschechow-Theater. Nach einer Premiere hat diese Rita ihm den Kopf verdreht mit ihren Fruchtbäckchen. Das war nur ein paar Wochen nach unserer Verlobung. Ganz begeistert war er von ihr und davon, wieder Deutsch reden zu können, diese Sprache, die mir so fremd war und die er so gut beherrschte, weil er ein paar Jahre lang in der DDR stationiert gewesen war.

Manchmal habe ich ihn nachts telefonieren gehört. Seine Stimme war so weich dabei, er hat so achtgegeben auf seine Worte, wenn er mit ihr sprach, das war zu hören, auch wenn ich nichts verstanden habe von dem, was er gesagt hat. Ihretwegen hat er die Stelle hier angenommen. Um bei ihr zu sein. Ihr Vater hatte sie ihm angeboten, er hatte sich von Rita einwickeln lassen und wollte ihm helfen wegzukommen. Ich konnte Leo nicht verübeln, dass er wegwollte. Wir wollten alle weg. Leo hat von einer besseren Zukunft geredet und mich in Moskau hockengelassen, er würde mich nachholen, hat er gesagt. Pustekuchen. Wochenlang habe ich nichts gehört von ihm, meine Briefe hat er nicht beantwortet, und einen Telefonanschluss hat er sich nicht einrichten lassen. Mir blieb nichts anderes übrig, als das Sparkästchen meines Vaters zu plündern und für die Rolle in einem Gastspiel in Wien vorzusprechen. Nachdem ich dem Regisseur schöne Augen gemacht habe, hat er mich für eine winzige Nebenrolle besetzt. In Wien habe ich mich noch vor der Hauptprobe in den Nachtzug nach Basel gesetzt. Leo hat vielleicht Augen gemacht. Immer noch hat er alles abgestritten, der Mistkerl, hat irgendwas gefaselt von wegen er habe das alles nur für mich getan, für ein besseres Leben. Und ich habe ihm geglaubt, weil ich ihm glauben wollte. Bis diese

Rita vier Tage später bei uns vor der Tür gestanden und sich Leo um den Hals geworfen hat. Ich kann mich noch genau an den Pfefferminzduft ihres Parfüms erinnern, an das Geräusch ihrer Absätze auf dem Parkett. Als Rita mich in der Küchentür stehen sah, fing sie an, uns zu beschimpfen. Offenbar hatte Leo es versäumt, ihr mitzuteilen, dass er immer noch mit mir verlobt war. Ich habe mich nicht vom Fleck gerührt und einfach nur still vor mich hin geweint, und Rita hat getobt und Leo vor die Füße gespuckt und immer wieder das einzige russische Schimpfwort wiederholt, das sie kannte, ›Durak, Durak‹, sagte sie, ›du Dummkopf‹. Und Leo hat nur die Hände in den Taschen vergraben und den Blick auf den Boden gesenkt, und irgendwann hat er gesagt, das werde ihm jetzt zu blöd, zuerst nur auf Deutsch und dann auf Russisch, wirklich zu blöd werde ihm das, und ohne uns anzusehen hat er sich an uns vorbeigedrückt; er werde jetzt arbeiten gehen, das sei ja nicht zum Aushalten. Rita ist ihm schreiend durchs Treppenhaus nachgerannt. Ich habe sie durchs Wohnzimmerfenster beobachtet, sie hat es nicht geschafft, ihn einzuholen. Bis gerade eben habe ich sie nicht wiedergesehen. Und den Rest der Geschichte kennst du ja. Es wäre Leos freier Tag gewesen.« Maria fuhr sich mit den Fingerspitzen über die Lippen, hin und her, als wolle sie sichergehen, dass kein Wort mehr daran klebte. Mit den Tränen in ihren Augen kam der Ausdruck zurück in ihr Gesicht. Sie hielt sich an der Sitzfläche der Bank fest und schluchzte, die Tränen tropften zu den Lacksplittern in ihrem Schoß. »Wenn ich einfach in Moskau geblieben wäre«, sagte sie, »wenn ich es einfach eingesehen hätte …« Sie nahm das zweite, kuchenverschmierte Handtuch aus der Strandtasche und schneuzte hinein. »Wenn du wüsstest«, sagte sie.

»Was«, sagte Ada, »wenn ich was wüsste?«

Maria schüttelte den Kopf und atmete flach, es kostete sie große Mühe, den schweren Gedanken aus der Gedächtniskiste zu heben, in der sie ihn vor über vierzig Jahren verpackt und weggeschoben hatte. »Als die beiden da zusammen im Wohnzimmer gestanden haben«, sagte sie, »und als Rita ihre kleinen weißen Hände so selbstverständlich in Leos Haare gekrallt hat und wie er an ihr gerochen hat, an ihrer Pfefferminzhaut, da ist alles in mir ganz hart geworden, meine Lunge und mein Bauch und meine Augen, und ich habe mir wirklich einen Moment lang gewünscht, er würde einfach tot umfallen. Ich habe es mir gewünscht, verstehst du, nur einen winzigen Moment lang, aber ich hab's mir gewünscht …« Ein heftiges Schluchzen schüttelte Marias Worte durcheinander, sie krallte ihre Hände ins Strandtuch und presste es vors Gesicht. Ada hatte jetzt keine Scheu mehr, Maria in den Arm zu nehmen, sie schlang beide Arme um sie und strich ihr über die Locken, die vom Haarspray ganz starr und von der Sonne noch warm waren.

Maria hob ihr Gesicht von Adas Schulter, ihre Wimperntusche war übers ganze Gesicht verschmiert, ihr Lippenstift verwischt. »Ich schleppe diese elende Trauer jetzt schon so lange mit mir herum«, sagte sie, »so lange. Manchmal kommt es mir vor, als wäre ich nie dreiundzwanzig geworden, als würde ich immer noch an diesem Frühstückstisch sitzen und darauf warten, dass Leo von der Arbeit kommt.« Sie wischte die Lacksplitter von ihrem Kleid und glättete den Stoff über ihre Knie, spannte ihn, ließ ihn wieder los. »Und sie, sie geht mit einem andern spazieren, lässt sich den Schirm tragen, lebt, verstehst du, macht weiter.«

»Ich finde, es ist Zeit, dass dir mal wieder jemand den Schirm aufhält«, sagte Ada.

»Du machst mir Spaß«, sagte Maria, »wer will mich denn mit dieser Trauer? Ich kann sie mir ja selbst von weitem ansehen. Hier«, sie rollte die faltige Haut unter ihren Augen zwischen den Fingern, »und hier«, sie zeigte auf ihren Bauch, der sich unter dem Sommerkleid wölbte.

»Niemand wird von dir verlangen, dass du deine

Trauer vollständig loswirst«, sagte Ada. »Aber wenn du sie als Mauer aus Pappschachteln vor dir herschiebst, hat keiner die Chance, sich dir zu nähern.«

Maria seufzte. »Meine Schminke ist da überall, oder?«, sagte sie und zeigte auf ihr Gesicht.

Ada nickte.

»Dann möchte ich mich jetzt frisch machen«, sagte Maria und stand auf, »und danach möchte ich einen Schnaps trinken gehen, einen Aprikosengeist«, sagte sie, »oder einen gespritzten Wermut, auf jeden Fall mit Eis … Nimmst du unsere Sachen?« Sie hatte sich wieder gefangen und ging mit gewohnt eleganten Schritten Richtung Parkplatz. Vielleicht ein klein wenig wackliger als sonst.

Im Treppenhaus war es heiß und stickig, im Zwischenflur vor ihrer Wohnung öffnete Ada das Fenster, aber es kam nur sehr warme Luft herein, Sommernachtluft eben.

Oben in der Wohnung war es still. Vermutlich schlief Juri schon, samstags hatte er in der Goldschmiede immer viel zu tun und war abends sehr müde. Sie konnte seine regelmäßigen Atemzüge hören, wenn sie ihr Ohr wie vor ein paar Wochen fest gegen das Türholz seines Schlafzimmers presste, und wenn sie sich bückte, sah sie durchs Schlüsselloch ein Stück seines schlafenden Rückens. Sie konnte die Wärme dieses Rückens spüren in ihrer Hand, immer noch, auch wenn sie Juri seit Tagen aus dem Weg ging, wie zu Beginn, als er eingezogen war und sie noch nicht gewusst hatte, welch schwerwiegende Folgen die Infektion mit seinem Anwesenheitsvirus für sie haben würde.

Leise hängte sie ihren Sonnenhut an die Garderobe und bückte sich, um ihre Sandalen auszuziehen. Beim Ausfädeln der Lederriemchen war ihr auf einmal kalt. In den Händen zuerst, dann am ganzen Körper, ein kribbliges Zittern. Ada ließ die Riemchen los, schüttelte die Sandalen von den Füßen, richtete sich auf. Noch immer dieses Kribbeln, dieses kalte Nagen unter der Haut. Das konnte nicht sein, nicht jetzt, dafür gab es keinen Grund, so lange schon hatte die Angst sich ferngehalten, sich in die Wände zurückgezogen und nur manchmal vor dem Einschlafen ganz leise mit dem Kiefer gemalmt. Aber es gab keinen Zweifel, da war auf einmal wieder das dünne Glas um ihren Kopf.

Mit zittrigen Händen zog Ada einen frischen Pyjama an und setzte sich aufs Bett, sie schloss die Augen und steckte sich die Plastikpfropfen des Stethoskops in die Ohren, ihr Herz klopfte schnell, viel zu schnell, dieser verdammte Muskel zog sich zusammen unter ihrem Pyjama, immer wieder, eine aufgebrachte Faust, die von innen gegen ihren Brustkorb boxte. Wütend zog sie die Stöpsel aus den Ohren und warf das Stethoskop ans Fußende des Bettes, warf damit aber nur das Geräusch von sich weg und nicht dieses Boxen, das im Stillen noch bedrohlicher war; überhaupt diese Stille auf einmal, kaum Geräusche vor dem Fenster, ab und zu ein Auto, immerhin, aber vor allem dieses Rauschen im Kopf und diese seltsame Helligkeit hinter den Augen. Steh auf jetzt, beweg dich, du musst dich endlich bewegen. Der Parkett im Flur knarrte laut. Vorsichtig drückte sie die Klinke zu Juris Zimmertür. Sein Zimmer war wärmer als ihres, es roch nach Schlaf. Er lag seitwärts zum Fenster gedreht und kehrte ihr den Rücken zu. Am anderen Bettende, eine Armlänge von Juri entfernt, lag Bettina auf dem Bauch. Auch das noch. Ada hielt sich fest an der Klinke. Sie spürte, wie sich wieder ein Zittern zusammenbraute in ihren Beinen, und ihre Finger, die die Klinke umfasst hielten, begannen zu kribbeln. Jetzt würde es nur noch wenige Minuten dauern, bis es schlimm wurde, sie kannte das doch. Kannte es und trotzdem. Es ist genug, Ada, lass die beiden schlafen, wenn du je wieder ernst genommen werden willst, dann lass sie schlafen. Sie zog Juris Tür zu und ging zurück in ihr Zimmer. Da waren Gewichte an ihren Lungenflügeln, die sie beim Atmen kaum in die Höhe ziehen konnte, und sie musste sich gegen die Wand lehnen, weil alles sich drehte, weil ihre Arme auf dem Weg zurück ins Zimmer so leicht geworden waren, dass sie sich nicht sicher war, ob sie noch da waren, deshalb rieb sie ihre Hände über den rauhen Verputz an der Wand, Feigling, halt still, du bist doch kein Kind mehr. Aber dann verschwanden auch ihre Beine, verschwanden einfach, und da waren keine Bilder mehr in ihrem Kopf, gar nichts war mehr da, nur dieses Ringen nach Luft und etwas, wie ein hoher Ton, den sie aber nicht hören konnte, und der doch alles übertönte, was sie hätte hören können, und der Weg zum Nachttisch kam ihr ewig vor, und das Handy schwer in ihrer Hand, und auch die Finger schwer beim Eintippen der Zahlen, dann der Freiton wie durch Watte, »hallo«, sagte sie, als es knackte in der Leitung, »ein Taxi hätte ich gerne, bitte, an die Gärtnerstraße dreiundzwanzig«, und sie wartete, ob etwas passierte, denn manchmal hatte das schon geholfen, die fremde Stimme im Telefon, aber manchmal auch nicht, so wie heute, »und auf welchen Namen«, fragte die Stimme im Telefon, »ein Taxi, bitte, einfach ein Taxi«, sagte Ada und drückte auf den roten Knopf.

Sie ging in den Flur, zur Garderobe, du brauchst die Jacke, wo ist die Jacke, und sie wühlte zwischen den Stoffen, die da hingen, und konnte ihre Jacke nicht finden, dafür die Gummistiefel, etwas musste sie ja anziehen an die Füße, und sie zuckte zusammen, als jemand sie an der Schulter berührte und dann das Licht anmachte hinter ihr.

»Was ist los mit dir, wo willst du hin?«, fragte Juri, »es ist mitten in der Nacht.«

»Geh schlafen«, sagte Ada, »ich suche nur meine Jacke, wo ist meine Jacke, ich brauche meine Jacke, ich kann nicht im Pyjama ins Krankenhaus.«

»Was willst du im Krankenhaus?«, fragte Juri, er legte ihr wieder die Hand auf die Schulter und versuchte, sie zu sich zu drehen.

»Kannst du mich bitte nicht anfassen«, sagte Ada, »das macht es schlimmer, das hilft nicht, bitte fass mich nicht an.«

»Du zitterst am ganzen Körper«, sagte Juri, »was ist los mit dir?«

»Da ist meine Jacke«, sagte Ada, aber die Jacke ließ sich nicht vom Haken lösen, und sie musste daran ziehen, so lange, bis die Jacke endlich runterkam und sie sie über den Arm legen konnte. Adas Zähne klapperten, und sie versuchte, sie so fest aufeinanderzubeißen, dass das Klappern aufhörte.

»Ada«, sagte Juri, »hörst du mich?«

»Ja«, sagte Ada, »aber ich kann mich jetzt nicht

kümmern um dich, ich habe Angst, und ich darf mein Taxi nicht verpassen, und du solltest ins Bett.«

»Machst du Witze?«, rief Juri, »ich lass dich doch alleine nicht da raus, du solltest sehen, wie du zitterst, du bekommst ja kaum Luft, wovor hast du Angst?«, fragte er, »sag mir doch, wovor du Angst hast?«

In Adas Augenwinkeln sammelten sich Tränen. »Einfach Angst«, sagte sie, »kannst du bitte, bitte in dein Zimmer gehen, ich kann dir das nicht erklären, und ich will so nicht sein vor dir.« Sie musste schluchzen und versuchte es zu unterdrücken, während sie sprach, weil das Schluchzen ihr die Sätze zerhackte. »Ich muss jetzt ins Krankenhaus, und dann wird es besser, ich möchte darüber nicht reden«, sagte sie, »ich möchte darüber nicht reden mit dir, ich möchte es nicht.«

Juri legte noch einmal seine Hand auf ihre Schulter, »entschuldige«, sagte er und zog die Hand zurück, er legte beide Hände auf seinen Kopf, »in Ordnung«, sagte er, »du musst nicht reden, aber lass mich mit dir ins Krankenhaus fahren.«

»Das ist jetzt nicht dein Ernst«, sagte Bettina, die in Juris Zimmertür auftauchte, »oder? Das ist nicht dein Ernst, dass du mich jetzt hier sitzenlässt. Was soll dieses Theater?«

»Könnten Sie Carolina holen, bitte«, sagte Ada zu der Frau hinter der Scheibe, »könnten Sie ihr sagen, dass ich da bin, mein Name ist Ada«, sagte sie, »Adamine Scholl.« Die Frau hinter der Scheibe nickte, »ich werde sehen, was ich tun kann«, sagte sie und griff nach dem Telefonhörer.

Das Wissen um all die Ärzte, die sich hier in Rufweite hinter den Türen verbargen, hatte Ada ruhiger atmen lassen. Carolina trug ihre Haare offen über dem weißen Kittel, sie sah hübsch aus und wach, sehr hygienisch, dachte Ada und zog ihre Hände unter ihren Beinen hervor, sie waren beide eingeschlafen. Sie ließ sich von Carolina die eingeschlafene Hand drücken. »Hallo«, sagte sie; mehr war nicht nötig.

Carolina lächelte freundlich. »Möchtest du jemanden sehen?«, fragte sie, »brauchst du Tabletten, oder möchtest du einfach hier sitzen bleiben? Es ist nicht viel los heute, du könntest sofort jemanden sehen, ich kann dich hinbringen.«

»Ich denke, heute geht es so«, sagte Ada, »danke, ich werde einfach noch eine Weile hier sitzen bleiben, wenn ich darf.«

Carolina nickte, »in Ordnung«, sagte sie, »ich werde in einer Stunde wieder hier sein, vielleicht bist du dann ja noch da.«

Ada nickte.

»Alles Gute«, sagte Carolina und verschwand hinter einer der Plexiglastüren.

Alles Gute, dachte Ada, das ist eine Menge.

Im Augenwinkel sah sie Juri, und sie sah auch, dass er sie ansah, mit diesem Geht-es-wieder-Blick, aber sie wagte nicht, sich zu ihm umzudrehen. Wer wütend ist, fragt nicht, dachte Ada, wer wütend ist, hält Abstand. Aber Juri hielt keinen Abstand, im Gegenteil, sobald Carolina verschwunden war, beugte er sich zu ihr herüber: »Treffen sich ein Walfisch und ein Thunfisch. Sagt der Walfisch: Was soll'n wir tun, Fisch? Sagt der Thunfisch: Du hast die Wahl, Fisch.« Ada drehte sich zur Seite, schnaufte, schüttelte den Kopf, aber Juri gab nicht auf. »Soll ich dir ein Glas Wasser holen«, fragte er, »oder vielleicht eine Cola? Bei mir hilft Cola eigentlich immer«, sagte er, »gegen alles; oder ein Schokoriegel, willst du einen Schokoriegel, das ist doch ein Aufsteller ... Oder hier, vielleicht willst du etwas lesen, das lenkt dich doch sicher ab, also, ich hätte die *Apothekenrundschau* anzubieten, na ja, oder hier, vielleicht eher die *Tierwelt*? Da ist auch was über Fische drin ...« Ada versuchte ruhig zu atmen und schüttelte bei jeder seiner Fragen den Kopf. Was Juri nicht davon abhielt, ihr weitere Vorschläge zu machen und hektisch in einer der Zeitschriften zu blättern. »Hier, das musst du dir anhören«, sagte er, »wusstest du, dass die Groppe, auch Rotzkopf genannt, der Fisch des Jahres ist? Und hier, die Waldohreule ist der *Vogel* des Jahres, das ist ja krass, wusstest du, dass Eulen ihren Kopf um zweihundertsiebzig Grad drehen können? Hier, schau dir das mal an ...«

»Ich will mir das nicht anschauen«, rief Ada, »ich will nichts trinken und nichts essen und nichts lesen und nichts hören, und vor allem will ich weder reden noch zugetextet werden, ich will einfach nur hier sitzen und in Ruhe gelassen werden, also halt bitte, bitte den Mund!«

Es war zum Glück nicht viel los auf der Station. Nur eine Mutter war da mit einem kleinen Kind, das einen hochroten Kopf hatte und ununterbrochen und leise weinte, nur nach Adas Ausruf hob es kurz den Kopf und schaute mit roten Augen in ihre Richtung, bevor es weiterweinte, die Mutter strich ihm über die Haare, immer an derselben Stelle, und fixierte die drei Türen am Ende des Flurs. Juri nickte beleidigt, stand auf, steckte eine Münze in den Getränkeautomaten und zog irgendeine Flasche unten aus der Klappe, trank ein paar Schlucke und setzte sich wieder neben sie, drehte den Deckel der Flasche auf und zu und auf und zu ... Auf Juris linkem Handrücken konnte Ada eine kleine Narbe erkennen, dicht an der Kuhle zwischen Daumen und Zeigefinger. Sie selbst hatte seit fünfundzwanzig Jahren keine Narbe am Körper, nicht mal ein Närbchen. Nichts. Es gab keinen Grund für die Angst, keinen, auf den sie hätte zeigen können. Hätte sie eine Narbe gehabt, vom Brustbein bis zum Bauchnabel, oder ein Närbchen ganz dicht neben dem Auge, hätte sie sagen können: »Deshalb, seit damals.« Und dann wäre genickt und verstanden worden, und auch sie selbst hätte sich zunicken und sich verstehen können. Diesen Stolz beneidete sie, mit dem Menschen über ihre weißgewordenen Narben fuhren, über dieses kleine Stückchen sichtbare Geschichte, den Beweis überstandener Gefahr. Sie betrachtete die Tätowierung an ihrem Unterarm und sah wieder vor sich, wie sie vor etwa anderthalb Jahren im Zug von Bern nach Zürich gesessen hatte und wie sie zum allerersten Mal dieses Kribbeln in den Armen gespürt hatte und wie ihr davon die Gedanken im Kopf verrutscht waren. Sie erinnerte sich, wie sie da gesessen hatte und geschwitzt und nicht verstanden, was vor sich ging in ihr, und wie sie sich vor lauter Panik nicht anders hatte helfen können, als die Frau neben ihr anzusprechen, die Frau mit dem glatten grauen Haar und der trockenen Haut, der Frau zu sagen, dass da ein Kribbeln war in ihren Armen und auch in ihren Beinen und dass ihr ganz schwindlig war, und sie konnte sich genau daran erinnern, wie die Frau ihrem Blick ausgewichen war, wie sie weggeschaut hatte hinter ihrer grünen Brille, wie sie gesagt hatte: »Sie sollten besser zum Arzt«, wie sie angefangen hatte, an ihrem Handy herumzudrücken, um nicht weiter mit Ada reden zu müssen, die sie wahrscheinlich für eine Verrückte hielt, eine Unberechenbare, die ihr bis nach Hause folgen könnte, und wie sie, als Ada sich ihr erneut zuwandte, ohne sie anzusehen aufstand und in den nächsten Waggon flüchtete, genau konnte sie sich an die Ablehnung erinnern in den Mundwinkeln der Frau, aber nicht an die Gesichter der anderen Passagiere, daran nicht. Ada erinnerte sich an den Geruch im Taxi, das sie mit weichen Knien herangewinkt hatte, eine Mischung aus Red Bull und Zigarettenrauch, daran, dass das Radio gelaufen war, aber nicht mehr an die Musik, auch daran nicht. Sie erinnerte sich an die Fingerabdrücke auf der Glasscheibe im Krankenhaus, an die Krankenschwester dahinter und wie sie zu dieser Schwester gesagt hatte: »Etwas stimmt mit mir nicht, irgendetwas stimmt nicht mit mir.« An das Gesicht der Schwester konnte sie sich nicht erinnern, nur daran, dass ihr Rückenspeck sich unter dem T-Shirt abgezeichnet hatte, dort, wo der BH ins Fleisch schnitt. Und an die Spritze, die sie ihr vor die Nase gehalten hatte, »Sie haben hyperventiliert«, hatte sie gesagt, »es ist alles nur in Ihrem Kopf. Es ist nur der Sauerstoff in Ihrem Blut. Ich kann's Ihnen beweisen, wenn Sie wollen, indem ich Ihnen eine Nadel hier reinsteche.« Sie deutete auf die Arterie an Adas Unterarm, wo noch keine Tätowierung war, »aber das wird weh tun«, sagte sie, »wir können das messen.«

»Nein, schon gut«, hatte Ada gesagt und den Rat der Krankenschwester befolgt, ruhig zu atmen, auszuatmen vor allem, gegen das Kribbeln zu atmen, und tatsächlich, das Kribbeln ging weg.

Niemandem hatte sie je davon erzählt, erst recht nicht davon, wie sie am nächsten Morgen in einem Raum des Zürcher Schauspielhauses gut vorbereitet vor der Jury gestanden hatte und in einem der vier ihr zugewandten Gesichter die grüne Brille gesehen und die Frau aus dem Zug wiedererkannt hatte, wie ihr die Scham die Sprache verschlagen hatte, das Denken, wie sie ohne ein Wort zu sagen erst dagestanden und dann den Raum verlassen hatte, gleich danach die Stadt, und wie sie sich über dem Badewannenrand der Basler Jugendherberge ein Gespinst auf den Arm tätowiert hatte, das sie daran erinnerte, dass an allem nur ihr Kopf schuld war, der Sauerstoff in ihrem Blut; ein Gespinst, das sie daran hindern sollte, je wieder einen fremden Menschen anzusprechen in dieser Sache.

Ada fixierte den Schweizer Alpenkräuterkalender gegenüber an der Wand, die retuschierte Idylle auf plastifiziertem Papier. Sie hatte keine Ahnung, welcher Tag heute war. Sie hätte Juri fragen können, der noch immer neben ihr saß und die Luft aus der leeren Petflasche drückte. Aber sie fragte nicht.

Die Hölle, dachte Ada, ist das anhaltende Warten auf Besserung, das Verharren im eingekopften Wartezimmer. Sie löste konzentriert Hautschüppchen um Hautschüppchen aus ihren Nagelbetten. Nagelbett, Fußbett, Krankenbett, Himmelbett, Flussbett, Totenbett. Sie schob die wundgekratzten Finger wieder unter ihre Oberschenkel. Etwas weiter hinten, fast schon bei den Toiletten, saß jetzt ein Mann mit grauen Haaren und einem mürrischen Busfahrergesicht, vielleicht, dachte Ada, macht das aber auch nur die blaue Jacke, seine Hände baumelten ineinandergefaltet zwischen seinen Knien, er saß leicht vornübergebeugt und sah müde aus, mehr aber auch nicht. Das weinende Kind und seine Mutter waren verschwunden. Ada betrachtete noch eine Weile den Mann und dann die verschiedenen Artikel im Snackautomaten, dieselben Artikel, die es auf Bahn- und Friedhöfen zu kaufen gab, in Unterführungen und Schulhausfluren, an Durchgangsorten eben, Orten, an denen niemand bleiben wollte. Nach und nach ließ das Rauschen nach im Kopf, und Adas Ohren füllten sich wieder mit Geräuschen, die Hände unter ihren Schenkeln wurden warm, das Blut an den Nagelrändern war getrocknet. Sie hörte das Telefon klingeln und dann die Nachtschwester, wie sie leise in den Hörer murmelte, oder wie jemand irgendwo auf demselben Stockwerk mit schnellen Schritten über den Linoleumboden ging. Sie nahm jetzt auch die Gerüche wieder wahr, die Mischung aus Desinfektionsmitteln und abgestandener Luft, auch Juris Deodorant, wenn er sich bewegte neben ihr. Sie begann den Stuhl, auf dem sie saß, allmählich unbequem zu finden, und als sie schon zum dritten Mal hatte gähnen müssen, stand sie auf. »Ich denke, wir können gehen«, sagte sie.

Es war das erste Mal in dieser Nacht, dass sie Juri direkt ansah und bemerkte, dass auch er unter der Jacke seinen Pyjama trug und offenbar nicht dazu gekommen war, sich die Schuhe zu binden.

Die Taxifahrt nach Hause kam Ada lange vor. Juri hielt ihre Hand, oder sie seine, sie hätte nicht sagen können, wer nach wessen Hand gegriffen hatte, jedenfalls hielten sie sich so, und es hätte mehr bedeutet, jetzt den Griff wieder zu lösen, als die Hand einfach zu lassen, wo sie war, auch wenn Ada nicht wusste, ob es nicht einfach nur eine Mitleidshand war, die sie da zu halten bekam, eine Hand, die jeder zu halten bekommen hätte, von jedem. Sie lehnte den Kopf gegen die Scheibe und versuchte, mit dem Nachdenken aufzuhören. Durch die halbgeschlossenen Augen sah sie, dass es unten am Rheinknie schon langsam hell wurde, während die Helligkeit hinter ihren Augen sich beinahe aufgelöst hatte. Auf einmal war sie sehr müde und zog jetzt doch die Hand zurück. Sie brauchte beide Hände, um ihren müden Kopf gegen die Scheibe zu stützen.

9
Die lästige Mitentscheidung
des Winkels am Blick

Verschwitzt und viel zu früh wachte Ada am nächsten Morgen auf, sie hatte nicht gut geschlafen, aber geschlafen, immerhin, traumlos und erschöpft. Weiterschlafen, einfach weiterschlafen jetzt, bis alles vorbei war, anders war, eine Geschichte, die sie aus der Ferne erzählen konnte. Ihr Pyjama klebte feucht an ihrem Brustbein, um weiterzuschlafen war es zu heiß. Sie wollte gerade die Bettdecke von sich strampeln, diese elende Hitze, als sie sah, dass der Knauf ihrer Zimmertür sich bewegte. Blitzschnell schloss sie die Augen und machte ein schlafendes Gesicht. Wenn sie in irgendetwas Profi war, dann darin, sich schlafend zu stellen. Tot sogar, wenn es sein musste. Sie nahm wahr, wie ein Schatten ins Zimmer fiel und mit dem Schatten ein Spaltbreit kühle Flurluft, sie hörte Juri stehen in der Tür, hörte, wie er ihren Namen flüsterte, zweimal, dreimal, wie er beim vierten Mal lauter flüsterte, wie er seufzte, noch einmal lauschte und schließlich die Tür wieder zuzog. Auf keinen Fall wollte sie Juri begegnen. Ganz genau konnte sie sich vorstellen, wie eine solche Begegnung ausgehen würde.

Sag doch etwas, würde Juri sagen, was war da los, woher kommt das, hast du das öfter, solltest du das nicht abklären lassen? Er würde dasitzen und sie mit Fragezeichen bewerfen, und sie würde ihm keine Antwort geben können oder bei jeder Antwort, die sie trotzdem gab, merken, dass es die falsche war. Sie wusste, dass von all den Fragezeichen, mit denen sie nach solchen Nächten beworfen worden war, am Ende immer nur die Punkte übrig geblieben waren. Schlusspunkte.

Ada schüttelte die Decke ab, schlich in den Flur, an der angelehnten Küchentür vorbei, hinter der sie Juri frühstücken hörte, huschte ins Treppenhaus und hinunter zu Maria.

»Du kommst gerade richtig«, sagte Maria. Sie saß im Morgenmantel am Küchentisch und schminkte sich mit drei gekonnten Bewegungen und ganz ohne Spiegel die Lippen rot. »Leo hat immer gesagt, je mehr passiert, desto mehr passiert. Er hat gesagt, das ist das Einzige, worauf man sich verlassen kann. Aber damit etwas passiert, muss man auch etwas tun, nicht wahr?« Sie ließ den Lippenstift in der Tasche ihres Morgenmantels verschwinden und stand auf. »Komm mit«, sagte sie, »ich brauch deine Hilfe.« Sie ging vor Ada her ins Wohnzimmer und zeigte auf die Pappkartonmauer. »Das muss alles runter auf die Straße«, sagte sie. »Die meisten Kisten sind zu schwer für mich allein.«

Ada lächelte, die erzwungene Gleichgültigkeit in Marias Stimme rührte sie. Und wie sie dastand, unfrisiert und im Morgenmantel, die Frau, die sich sogar zum Fernsehschauen in Schale warf und nun mit dem Weglassen der Garderobe versuchte, aus einer großen Sache eine kleine zu machen.

»Na dann mal los«, sagte Ada und bückte sich, um die erste Kiste hochzuheben, bevor Maria es sich anders überlegen konnte. Im Innern des Kartons rumpelten Keramikgegenstände durcheinander. Als wollte sie es darauf anlegen, dass darin etwas zerbrach, hob Maria die Kiste grob mit an und ging rückwärts Richtung Wohnungstür. »Den ganzen Plunder hier«, sagte sie, »hat Leo sowieso nur für Rita angeschafft.« Mit dem Ellbogen öffnete sie die Tür, seitlich über die Schulter blickend stieg sie eilig die Treppe hinunter. Auf dem Zwischenboden des ersten Stocks setzte sie ihre Seite der Kiste keuchend ab und wischte sich mit dem Unterarm über die Stirn. »Als du gestern gesagt hast, es werde Zeit, dass mal wieder jemand für mich den Schirm aufhält«, sagte sie, »hast du da eigentlich an jemand Bestimmtes gedacht?«

»Na ja«, sagte Ada, »der Matuschek zum Beispiel, der wäre doch gar nicht so verkehrt. Jedenfalls hat er ein Auge auf dich geworfen.«

Maria versuchte, kein allzu neugieriges Gesicht zu machen. »Das wird er dir ja wohl nicht erzählt haben«, sagte sie.

Ada bedeutete ihr mit dem Kinn, die Kiste wieder hochzuheben. »Ich habe da so meine Quellen.«

Draußen öffnete Maria mit den Zähnen ihren Lippenstift und schrieb mit großen Buchstaben »Zum Mitnehmen« auf den Pappdeckel. »Dass ich da nicht drauf gekommen bin«, sagte sie nachdenklich. »Dabei habe ich es ihm zu verdanken, dass ich überhaupt noch hier bin. Hätte er mich damals nicht zwei Jahre lang als Hausmeisterin angestellt und mir so eine Aufenthaltsbewilligung beschafft, ich hätte doch niemals bleiben können. Wenn er nur nicht so verdammt schüchtern wäre. Nie kriegt er den Mund auf, und wenn, dann haspelt er irgendetwas von Reparaturen oder Gartenpflanzen.«

Ada klopfte sich die staubigen Hände am Pyjama ab. »Du bringst ihn eben durcheinander«, sagte sie.

»Hm«, sagte Maria, und weiter nichts.

Eine ganze Weile lang sagten sie beide nichts

mehr, keuchten nur und trugen eine Kiste nach der anderen hinunter auf den Gehsteig.

»Was mach ich denn jetzt mit all dem Platz«, sagte Maria und stellte eine weitere Kiste ab.

Ada krempelte ihre Ärmel noch ein wenig weiter hoch. »Es wird sich schon was finden«, sagte sie.

»Apropos«, sagte Maria, »was läuft eigentlich bei euch oben schief?« Ada rückte die Kiste mit den Füßen zurecht, nach links, wieder ein Stückchen nach rechts, näher zur Wand. Die stille Maria war ihr lieber gewesen. »Wie kommst du darauf, dass etwas schiefläuft?«, fragte sie. Maria beschriftete seelenruhig den elften Pappdeckel. »Nun«, sagte sie, »erstens bist du um diese Uhrzeit nie wach, und zweitens ziehst du dich normalerweise an, bevor du die Wohnung verlässt.«

Ada schaute an sich hinunter, auf ihren roten Flanellpyjama, auf ihre staubigen Füße. Sie setzte sich auf den Bordstein und lehnte gegen eine der Kisten. Nicht einmal der Asphalt war wirklich kühl. »Kennst du das«, sagte sie, »wenn man sich in der Gegenwart von jemandem sogar mit den Gedanken irgendwie mehr Mühe gibt?«

Maria nickte. »Ist lange her.«

»Mit den meisten Menschen, die mich kennengelernt haben, habe ich nichts mehr zu tun«, sagte Ada. »Ich will nicht, dass Juri mich kennenlernt.«

Maria setzte sich neben sie und legte einen Arm um sie. »Das hat er doch längst.« Sie drehte den Lippenstift zurück in die Fassung. »Und er ist noch immer da, oder?«

»Die Bilder im Hinterhof«, sagte Ada, »die haben gar nicht Juri gehört. Die waren von mir.«

»Ich weiß«, sagte Maria.

Ada verstand nicht. Marias Arm kam ihr nur plötzlich sehr schwer vor auf den Schultern.

»Juri war hier«, sagte Maria, »heute früh, er hat mir erzählt, was gestern Nacht passiert ist, er hat sich Sorgen um dich gemacht, wollte wissen, was er tun kann ...«

Ada schüttelte Marias Arm ab und stand auf, aber die Schwere auf den Schultern blieb, ihr war schwindlig, sie wusste nicht, wo sie hinschauen sollte. »Dazu hat er kein Recht«, murmelte sie und riss an ihren Pyjamaärmeln, weil ihr trotz Hitze jetzt kalt war an den Armen, »dazu hat er einfach kein Recht.« Sie sah, dass Marias Mund sich bewegte, hörte aber nicht, was sie sagte, hörte stattdessen schon auf der Treppe, wie Juri in seinem Zimmer eine Ziehharmonika malträtierte. Es klang, als würde er einen lungenkranken Esel zu Kniebeugen zwingen. Er saß auf dem Fenstersims, als Ada die Tür aufriss, und ließ die Ziehharmonika mitten in einem Heuler auf die Knie sinken. »Zu laut?«

»Dazu hast du kein Recht«, sagte Ada, »was fällt dir ein, hinter meinem Rücken mit Maria über mich zu sprechen?«

Juri legte das seufzende Instrument auf den Schreibtisch. »Du bist schon wieder so weit weg«, sagte er. »Ich hätte das nicht gemacht, wenn du nicht so verdammt weit weg wärst.«

»Wie rührend«, sagte Ada, »du willst mich also retten. Lass mich raten, wie das weitergeht«, sagte sie, »erst hältst du meine Angst für das gewisse Etwas, findest das alles eine Weile lang irgendwie aufregend und meine Melancholie erotisch, bis du irgendwann enttäuscht bist, dass es nicht funktioniert, dass du nicht der Held bist, weil ein bisschen Streicheln oder ein Schokoriegel oder ein Thunfischwitz nicht hilft.«

Juri schluckte, ansonsten bewegte er sich nicht. Nur seine roten Wangen verrieten, dass er so ruhig nicht war. »Glaubst du eigentlich, das passiert alles nur dir?«, sagte er, »glaubst du, mit mir passiert nichts, wenn ich das alles mitbekomme, wenn ich bei so was neben dir stehe? Ich kenne deine Angst kaum, ich kann nicht wissen, was hilft, und ich kann auch nicht wissen, was passiert, wenn ich sie besser kennenlerne.« Er saß da und schaute sie an, machte nichts mit seinen Händen, rückte keinen Zentimeter vor oder zurück, ließ sie sprichwörtlich nicht aus den Augen. Es war ihm ernst. Und sie wusste nicht, warum sie darauf nicht vorbereitet war, warum es sie derart aus der Fassung brachte. Weit weg war genau der Ort, an dem sie sein wollte.

»Ich sag dir, was passiert«, sagte sie, »du fängst an, dich zu langweilen und es anstrengend zu finden, und die Melancholie kommt dir so gar nicht mehr tiefsinnig vor, und du sehnst dich nach etwas, das leicht ist, leichter als das alles.«

Juri rieb sich die Augen und seufzte. »Das ist nicht unsere Geschichte, die du da erzählst.«

»Nein«, sagte Ada, »und ich will auch nicht, dass sie das wird.«

Sie schlug Juris Zimmertür zu und ging in die Küche, brach hastig kleine Stücke aus dem Baguette, das auf dem Tisch lag, kaute, schluckte, pulte ein neues Stück ab und zermalmte es zwischen den Zähnen, während ihre Finger sich schon wieder in die Brotkruste bohrten, sie pulte und kaute im Stehen, wartete auf das Geräusch der Klinke von Juris Zimmertür, dieses leise Quietschen beim Öffnen, wartete, bis sie, fast ohne es zu bemerken, mehr als das halbe Baguette gegessen hatte. Sie setzte sich an den Tisch und begann den Rest des Baguettes auszuhöhlen. Sie knetete den Brotteig zwischen den Fingern, rollte daraus zwischen den Handflächen eine Kugel, halbierte die

Kugel mit dem Daumennagel, noch einmal und noch einmal, formte fünf kleine Kügelchen, die sie vor sich auf die Tischplatte legte. Eines der Kügelchen rollte sie mit der Fingerkuppe hin und her, aß es auf. Und noch eins. Eine Fliege flog gegen das Glas der Balkontüre, taumelte auf den Küchenboden, rappelte sich wieder auf und knallte erneut gegen die unsichtbare Wand. Ada ging auf den Balkon und begann Blätter von den Pflänzchen zu rupfen, erst nur verdorrte, dann auch gesunde, warum nicht auch eine Blüte abrupfen, noch eine, alle. Mit den abgerupften Pflanzen in der Faust ging Ada in ihr Zimmer und stellte sich verloren ans Fenster, sie spürte die Feuchtigkeit der Blütenköpfe zwischen ihren Fingern, hätte gerne geweint, aber dazu war sie zu angespannt. Mit schweren Armen stand sie da und beobachtete stattdessen, wie die Menschen aus der Nachbarschaft Marias Vergangenheit aus den Pappkisten kramten und sie Stück für Stück abtrugen; hier zwei Tässchen und eine vergilbte Kunstblume, dort ein leerer Bilderrahmen, allmählich verteilten sich die Gegenstände in alle Richtungen und füllten sich in fremden Wohnungen mit neuen Geschichten. Neue Requisiten fürs Quartiertheater.

Irgendwann begann es zu regnen. Ada drehte sich eine Zigarette, ihre Hände rochen noch immer nach den Pflanzen vom Balkon. Sie sah zu, wie der Regen auf Marias Pappkisten prasselte, hörte, wie das Prasseln dumpfer klang, als die Kisten sich mehr und mehr mit Wasser vollsogen. Und plötzlich dachte sie, dass es mit ihrer Angst vielleicht war wie mit Marias Kartons. Etwas, das man für sich behielt, konnte man nicht gleichzeitig loswerden. Sie dachte an den Ernst in Juris Gesicht und daran, wie Maria gesagt hatte: »Er ist noch immer da.« Ada legte die Zigarette aufs Fensterbrett.

Juri saß mit dem Rücken zur Tür an seinem Schreibtisch, er hatte nicht auf ihr Klopfen reagiert. Im ganzen Zimmer standen Tüten herum, Kisten, Plastikboxen, der Schrank war fast leer, die Bilder alle abgehängt.

»Was hast du vor«, sagte Ada.

»Wonach sieht's denn für dich aus?«, fragte Juri, drehte sich noch nicht einmal um dabei. Und der ganze Mut, den Ada zusammengenommen hatte im Flur, die Sätze, die sie sich zurechtgelegt hatte beim Hin- und Hergehen in der Küche, all das war nutzlos, nicht zu gebrauchen jetzt. Sie öffnete ihren Mund, schloss ihn wieder, wartete darauf, dass Juri sich umdrehte, dass er ihr ansah, was sie hatte sagen wollen, aber Juri rührte sich nicht, saß einfach da, die Ellbogen auf die Schreibtischkante gestützt, sie war sich noch nicht einmal sicher, ob er überhaupt atmete. Er saß da, als hätte er es geübt.

»Ich hab dein ganzes Brot aufgegessen«, sagte Ada, um wenigstens noch irgendetwas zu sagen, bevor sie die Tür wieder zuzog.

Es war sehr still jetzt in der Wohnung. Nur ein leises Zähnemalmen in den Wänden. Und zwei zerzauste Tauben, die auf dem Balkon vorwurfsvoll mit ihren Köpfen ruckelten, als wollten sie sagen: Nun aber.

Auf dem Küchentisch lag der winzige Rest Baguette, daneben die drei Teigkügelchen, die sie nicht gegessen hatte. Fortsetzungspunkte, dachte sie. Und als sie die Teigkügelchen lange genug über den Tisch geschoben hatte, um den Entschluss zu fassen, noch einmal in Juris Zimmer zu gehen, ihn vielleicht in den Arm zu nehmen oder sich zu entschuldigen mit einem schlichten »es tut mir leid«, wenigstens das, hörte sie, wie die Wohnungstür ins Schloss fiel.

Der Tag war vergangen, zäh, aber immerhin, und nun war es spät, und über dem Herd klebte noch immer der Zettel mit Matuscheks Nummer darauf, ein wenig gewellt und stellenweise durchscheinend vom Kochfett ließ er sich mühelos von der Wand schälen.

Ob sie eigentlich wisse, wie spät es sei, murmelte Matuschek.

»Das tut mir leid«, flüsterte Ada, »es ist nur, ich werde mich noch stundenlang schlaflos durchs Bett wälzen, wenn ich Sie jetzt nicht frage, ob Sie mir helfen.«

»Grundgütiger«, schimpfte Matuschek, »helfen womit?«

»Würden Sie morgen mit mir fischen gehen? Die Sache ist ziemlich kompliziert, also sagen Sie einfach ja oder nein. Und bevor Sie unüberlegterweise nein sagen, sollten Sie wissen, dass ich weiß, was Ihnen an Maria liegt, und nicht nur das: ich habe auch einen Plan, wie Sie zu einem Rendezvous mit ihr kommen.«

Matuschek räusperte sich: »Nun ja«, sagte er, »das sind ja, was soll man dazu … Wie sieht er denn aus, Ihr Plan?«

»Ich werde mich hüten, Ihnen das jetzt schon zu verraten.«

»Also eins muss ich Ihnen sagen, Fräulein Ada, Sie sind schon eine ganz durchtriebene Mamsell.«

»War das ein Ja?«

»Meinetwegen«, sagte Matuschek, und Ada glaubte zu hören, dass er dabei schmunzelte, »und nun gehen Sie um Himmels willen schlafen.«

10

Der eingekopfte Selbstauslöser

Am nächsten Abend bereute Ada ihre Bitte. Ihr Handgelenk schmerzte vom Halten der Rute, ihre Beine wurden trotz der Stiefel kalt im oberschenkelhohen Wasser, und sie bewegte ihre Nymphe schon lange nicht mehr übers Wasser, wie Matuschek es ihr erklärt hatte, sie stand einfach da, hielt die Rute fest und hoffte insgeheim, dass keiner der Fische in die Falle tappen würde.

Alle fünfzig Meter stand ein Angler im Wasser und ließ seine Rute über den Fluss surren, überall dieser träge Gesang der Ködernymphen, das Fluggeräusch der künstlichen Insekten; nur ab und zu pustete der Wind einen Schwarm echter Mücken aus den Eschen. Die Fische befanden sich schon mitten in ihrer abendlichen Bauchtanzchoreographie: Einer nach dem anderen präsentierte im Sprung seinen prallen, silbernen Bauch. Ada wandte den Kopf zu Matuschek, der am Ufer auf einem Klappstuhl saß. Bis eben war er noch von Zeit zu Zeit aufgestanden und hatte ihr eine Goldkopf-

oder Hasenohrennymphe gebracht. »Die Fische sind wählerisch hier«, hatte er gesagt und geduldig ihre Angelschnur entwirrt, wenn sie sich einmal mehr verheddert hatte.

Mittlerweile war Matuschek in der Dämmerung eingenickt, das Kinn auf der Brust, der Kasten mit den Nymphen war ihm aus den Händen gerutscht.

Beinahe ließ Ada die Rute fallen, als die Schnur sich plötzlich spannte, mit beiden Händen hielt sie sie fest und starrte ins Wasser. Sie zögerte, stand da, wusste nicht, was sie tun sollte. Aber der Fisch hing am Haken, so oder so, auch wenn sie sich jetzt nicht bemerkbar machte, und jemand musste ihn vom Haken befreien.

»Herr Matuschek«, rief Ada schließlich, »da ist was, schnell!«

Matuschek schreckte auf, schien für einen kurzen Moment nicht zu wissen, wo er war, fing sich dann aber, kam ins Wasser gelaufen und nahm ihr die Rute aus der Hand. »So was«, murmelte er, »na, das nenn' ich Anfängerglück.« Er holte die Schnur ein und brachte eine wunderschöne, zappelnde Forelle an Land, die er vor Ada auf einen der Steine am Ufer legte und vom Haken befreite. »Halten Sie sie fest«, sagte Matuschek.

Ada zögerte, legte dann aber ihre Hand um den zuckenden Körper, auf die kalte, dunkel gepunktete Haut. Die Forelle blutete am Mund, da, wo die Nymphe sie durchstochen hatte.

»Den Kopf einschlagen müssen Sie ihr schon selber«, sagte Matuschek, »der erste Fang, das ist etwas Besonderes.« Er reichte ihr einen hölzernen Knebel und deutete auf die Stelle dicht hinter den Kiemen der Forelle, auf den unsichtbaren Übergang zwischen Kopf und Rückgrat. »Hierhin«, sagte er.

Ada drehte den feuchten, spröden Knüppel in der Hand und starrte in das aufgerissene Forellenauge, starrte den blutenden, nach Luft schnappenden Forellenmund an, die tanzenden Punkte. Sie sah nicht mehr den Fluss und die anderen Fischer, die Klappstühle, Feuerstellen und Kühlboxen, sie hörte nicht mehr die Vögel und das Waten der Fischer im Wasser, sie sah nur noch dieses Ringen nach Luft im Auge der Forelle. »Ich kann das nicht«, sagte sie.

»Fräulein Ada«, sagte Matuschek, »wenn Sie das jetzt nicht zu Ende, dann verstehe ich wirklich nicht, wofür wir den ganzen Zirkus hier ... Da hätten Sie ebenso gut in den Supermarkt, also ehrlich. Jetzt schlagen Sie zu, der arme Kerl erstickt doch sonst, das ist doch nicht, man kann doch nicht ...«

Adas Hand krampfte sich um den Knebel. Sie

dachte an Juri und daran, dass der stumme Fischmund vielleicht die Kraft haben würde, all das zu sagen, was sie gegenüber Juri in sich hinein geschwiegen hatte, all das, was jetzt brannte in ihrem Bauch und knotete in ihrem Brustbein. Also biss sie die Zähne zusammen und holte aus, brach die Bewegung aber wieder ab auf halber Höhe, noch einmal holte sie aus, kräftiger diesmal, aber der Knebel sauste am Fisch vorbei auf den Stein.

»Herrgott«, sagte Matuschek, »wollen Sie sie nicht einfach zurückwerfen?«

Ada regte sich nicht, sie brachte es weder zustande, den Kopf zu schütteln, noch zu nicken, am liebsten hätte sie sich aufgelöst. Sie atmete noch einmal tief ein, hielt dann die Luft an und holte aus: ein dumpfer Schlag, mitten in die zappelnde Fischangst hinein. Der kleine Forellenkörper krümmte sich unter dem Knebel, streckte sich dann und lag schließlich reglos in dem bisschen Wasser, das er von sich geschüttelt hatte.

»Na bitte«, sagte Matuschek und klopfte ihr auf die Schulter.

In Adas Brustbein aber löste sich die Verknotung, in ihrem Hals ein drückender Kloß. Einfach so kullerten ihr jetzt die Tränen übers Gesicht, obwohl sie das nicht wollte, schon gar nicht hier, vor Matuschek. Er, der in seinem Rucksack nach Zeitungspapier kramte und dann die Forelle darauflegte, behutsam, wie ein ausgepacktes Geschenk, blickte erstaunt hoch. »Na, na, na«, sagte er und wischte sich ratlos die Hände an der Fischerhose ab. Zögernd machte er zwei Schritte in Adas Richtung, legte ihr eine Hand auf die Schulter. »Deshalb müssen Sie doch nicht, also wirklich«, sagte er und kam noch einen Schritt näher. »Ist ja gut«, sagte er immer wieder und tätschelte ihr dabei den Rücken, »ist ja gut.«

Ada schluchzte und ließ sich in den warmen Kies plumpsen. Matuschek seufzte und setzte sich neben sie. Schweigend kramte er ein langes, schmales Messer aus dem Dunkel seines Rucksacks, drehte die stumpfe Seite nach unten und begann mit geübten Bewegungen die Forelle zu entschuppen. Ada wischte sich die Augen mit dem Handrücken trocken und blinzelte die Umgebung scharf, den Fluss, über dem die Mücken tanzten, den Himmel, der ein Gewitter vorbereitete, das Wolkensieb, durch das der Wind die letzten Sonnenstrahlen presste.

»Wissen Sie«, sagte Ada, »meine Mutter sagt, meine ganze Generation sei hoffnungslos verweichlicht. Sie sagt, wir seien eine Horde gelangweilter Allergiker, für die es schon ein Abenteuer sei, Kaffee ohne Milch zu trinken, und dass wir keine Ahnung hätten, was es bedeute, für etwas zu kämpfen, dass wir unserer Freiheit nicht gewachsen seien. Manchmal glaube ich, sie hat recht.«

Matuschek drehte die Forelle in Rückenlage. Mit einer Küchenschere schnitt er ihr die Rücken-, Bauch- und Afterflossen ab, dann griff er wieder zum Messer und schnitt ihr die Bauchhöhle auf. Ein intensiver Fischgeruch stieg Ada in die Nase.

»Meine Mutter erklärte mir, dass Freiheiten wie Instrumente sind«, sagte Matuschek, »es erfordert einen großen Aufwand, sie herzustellen, und einen noch größeren, sie zu lernen.« Er griff erneut nach der Küchenschere und trennte die Eingeweide der Forelle mit je einem Schnitt am After und am Schlund aus der Bauchhöhle. Mit einer Hand öffnete er den Fischbauch, mit der anderen entnahm er ihm sorgfältig die Organe und legte sie auf dem Zeitungspapier zu einem glänzenden Häufchen zusammen, direkt neben dem Röntgenbild eines Mannes, der angeblich einen Nagel verschluckt und die eisenhaltige Mahlzeit überlebt hatte. »Die Galle«, sagte Matuschek dann und zeigte auf eine kleine, grünlich gefärbte Blase inmitten der Innereien, »die darf man beim Ausnehmen auf keinen Fall beschädigen, die Bitterkeit verdirbt sonst den ganzen Fisch.«

Ada nickte und vergrub ihren Blick vor sich im Kies. »Diese Gelassenheit«, sagte sie, um sich auf andere Gedanken zu bringen, »darum beneide ich Menschen in Ihrem Alter.«

Matuschek legte die ausgeschabte Forelle auf ein sauberes Stück Zeitungspapier, quer über den Wetterbericht von einem Samstag im April. »Die Möglichkeiten werden weniger«, sagte er, »vielleicht ist es das, was einen … nun ja, ruhiger macht.« Er öffnete noch einmal mit Daumen und Zeigefinger die Bauchwände der Forelle. »Hier«, sagte er und zeigte auf einen dünnen, rötlichen Schlauch entlang des Rückens, »das ist die Blase, die müssen Sie unter fließendem Wasser, sonst geht das nicht, sie können Sie mit einem Messer, oder mit dem Daumennagel, wie Sie wollen.«

Ada nickte und war froh, als Matuschek den Fisch endlich mit Zeitung umwickelte und in der mitgebrachten Kühlbox verstaute.

»Hier«, sagte er und zog einen silbernen Flachmann aus seiner Fischerhose, »Zwetschgenwasser, damit Sie wieder etwas Farbe ins Gesicht bekommen.«

Ada nahm einen kräftigen Schluck und roch endlich nicht mehr den toten Fisch. »Danke«, sagte sie und meinte damit nicht nur das Zwetschgenwasser. Auch Matuschek nahm einen gehörigen Schluck. »Wir sollten dann langsam«, sagte er, »hier ist's bald finster wie in einer Kuh.«

»Du meine Güte«, sagte Ada, »es ist ja schon nach neun.« Ihr Herz klopfte ein paarmal forellengroß in ihren Hals. Sie hatte sich am Morgen für halb zehn mit Juri verabredet. »Du wirst schon sehen, das wird eine Überraschung. Bitte«, hatte sie gesagt, und Juri hatte genickt und einen Moment lang aufgesehen und aufgehört, seine Balkonpflanzen in Vlies zu wickeln: »Also gut.«

Die Rückfahrt verlief schweigend. »Es sieht nach Gewitter aus«, war das Einzige, was Matuschek sagte.

Als sie ankamen, hatte es schon zu nieseln begonnen. Ada packte die Tasche mit dem Gemüse, den Kräutern, dem Weißwein und den Oliven aus dem Kofferraum, die sie auf dem Hinweg gekauft hatte.

»Juri wird sich freuen«, sagte Matuschek, »da bin ich mir sicher.« Er drückte ihr die verpackte Forelle in die Hand und zog einen handgeschriebenen Zettel aus der Jackentasche. »Ich habe Ihnen hier aufgeschrieben, wie Sie den Fisch, also, falls Sie wollen, Sie haben das ja vermutlich noch nie, so wird er sicher gut. Haben Sie die Zutaten bekommen?« Ada nickte und hielt die Tüte auf, damit Matuschek hineinschauen konnte. »Gut«, sagte er, »schön.« Ada beugte sich vor und drückte ihm einen Kuss in den Bart. »Danke«, sagte sie, »jetzt haben Sie mir schon zum zweiten Mal geholfen.« Sie wandte sich zum Gehen.

»Moment«, sagte Matuschek, »was ist mit Ihrem Versprechen, Sie wollten mich doch mit Maria, es war doch ausgemacht, dass Sie … Sie sagten, Sie hätten einen Plan.«

»Das war gelogen«, sagte Ada. »Aber nach dem, was Sie vorhin über Freiheiten gesagt haben, bin ich mir sicher, dass Sie das auch alleine hinkriegen. Und falls sie Ihnen tatsächlich einen Korb gibt, was ich nicht glaube: Klopfen Sie bei mir, mir fällt schon was ein.«

Matuschek seufzte. Er blieb stehen und betrachtete seine Handflächen.

»Je mehr passiert, desto mehr passiert«, sagte Ada. »Aber damit etwas passiert, müssen Sie auch etwas tun. Hier«, sie griff in die Tüte und löste eine Chilischote aus der Verpackung, »beißen Sie da hinein«, sagte sie, »das hilft gegen zu viel Denken. Das habe ich manchmal vor wichtigen Auftritten gemacht, kurz bevor ich auf die Bühne musste.« Sie lächelte Matuschek aufmunternd zu und hastete dann die Treppe hinauf.

Juri aber war nicht da. Ada rief seinen Namen, »bist du da?«, rief sie, und noch einmal, um sicher zu sein. Vorsichtig stellte sie die Tüte ab. Im Badezimmer brannte Licht. Die kleine Uhr neben der Tür zeigte fünf vor zehn. Er hätte längst da sein müssen. Ada schaute hinter dem Duschvorhang nach, obwohl sie wusste, dass Juri da nicht war. Das Licht über dem Waschbecken flackerte, machte einen leise klirrenden Ton dabei, bis Ada es ausmachte und im Dunkeln stand, das Nachbild des Waschbeckens auf der Netzhaut.

Juris Zimmer sah fast so aus wie an dem Tag, als er eingezogen war. Nur dass jetzt zwischen den Kisten und Tüten und Plastikboxen Erinnerungen lagen, von denen sie nicht wusste, ob er sie mitnehmen wollte.

In ihrem Zimmer öffnete sie ein Fenster; das blecherne Geräusch des Regens in der Dachrinne und Reifen, die durch Pfützen fuhren. Es roch jetzt nach Fisch und Petersilie, aus der Tüte, die sie neben sich auf den Boden gestellt hatte. Die Außengeräusche dröhnten in ihrem Kopf, der auf einmal leer war, ganz ohne Bilder. Sie zündete sich die Zigarette an, die noch auf dem Fensterbrett gelegen hatte; zwischen den Autos, die unten vorbeifuhren, hörte sie das Knistern der Glut. Zug um Zug vermischte sich der ausgepustete Rauch mit dem Regenwasser in der Dachrinne. Den kleingerauchten Stummel warf sie runter auf die nasse Straße und sah zu, wie er noch vor dem Aufprall verglühte.

Erst dann wählte sie Juris Nummer. Ihre Finger kannten sie. Ein schriller Ton, sie hielt das Handy weg vom Kopf, weil sie wusste, was jetzt kam: »Bitte rufen Sie später an.« Noch einmal wählte sie dieselbe Nummer; kein Nachlassen der Höflichkeit am anderen Ende der Leitung.

»Der wird schon noch kommen«, sagte sie leise zu sich selber, »der kommt schon noch.«

Sie löste ihre Hände aus der Verfaustung und starrte in ihre Handflächen, bis die kleinen Angstmonde darin verblasst waren. Dann trug sie die Einkaufstüte in die Küche. An der Türklinke blieb sie mit einem Henkel hängen, die feuchtgenieselte Tüte riss, und etwas fiel zu Boden, ein kurzes, trotziges Klirren folgte, und die Oliven rollten über den Küchenboden, über die Schwelle in den Flur und durch den Staub, Öl in den Ritzen des Parketts, italienische Kräuter auf Adas nackten Füßen. Auf dem Weg zum Badezimmer hörte sie ein Geräusch im Treppenhaus und riss sofort die Wohnungstür auf. Eine halbe Treppe weiter unten bewegte sich ein aufgespannter Schirm im Luftzug des offenen Fensters hin und her. Noch immer Regen.

Ada föhnte sich die Hände, dann die abgeduschten Füße, bis ihr wärmer wurde, warm. Juri war keiner, der Versprechen brach, zu der Sorte gehörte er nicht, er würde kommen, ganz bestimmt.

Ada legte den Föhn zurück und ging in die Küche, sie schaltete das Radio ein, weil ihr keine Musik einfiel, nach der ihr war. Die Oliven, dachte Ada, ich sollte sie aufwischen, aber sie wusste nicht, womit.

»Bitte rufen Sie später an. Der gewünschte Mobilteilnehmer ist momentan nicht erreichbar.« Mit steifen Fingern wickelte Ada die Forelle aus der Zeitung. Sie fasste ihr in den gelbsilbernen, aufgeschlitzten Bauch und hielt sie unters fließende Wasser. Wie schön sie war. Ob es einem der anderen Fische auffiel, dass sie fehlte? Ob einer auf sie wartete? Wie lange? Mit dem Daumennagel kratzte Ada die Blase aus dem kalten Fischkörper, wie Matuschek es ihr erklärt hatte. Mit dem Geschirrtuch tupfte sie ihr die Punkte trocken und füllte ihr dann den Bauch mit Rosmarin, Dill und Zitronenscheiben, so wie es in Matuscheks handgeschriebenem Rezept stand. Danach begann sie sorgfältig die Artischocke zu zerzupfen.

Gegen drei Uhr früh wusste sie, dass Juri nicht mehr kommen würde. Sie saß in ihrem besten Kleid am Küchentisch und rauchte, eine der beiden Weißweinflaschen hatte sie bis auf einen kleinen Restschluck geleert. Die Forelle dampfte schon lange nicht mehr, aber das Nachtessen war komponiert:

Der Klang des Bestecks auf den ungleichen Tellern, das Zusammenstoßen der Gläser, das Schaben des Holzlöffels in der Fischpfanne, das Nachsalzrieseln, das Serviettengeknister, das Knarren der Holzstühle beim satten Zurücklehnen. Alles spielbereit. Hätte ich doch die Forelle wieder zurückgeworfen, dachte Ada, es braucht sie hier niemand. Sie ist nicht mehr als ein toter, verschwendeter Fisch, ein schönes, aber unnötiges Requisit für eine abgesagte Vorstellung.

Ada öffnete den Reißverschluss ihres Kleides, auch dieses Geräusch wäre Teil der Komposition gewesen; sie löste die Haarnadeln aus ihrer Frisur und legte sie neben dem unbenutzten Besteck auf den Tisch. Noch einmal drückte sie auf die grüne Taste ihres Handys, aber sie machte sich jetzt nicht einmal mehr die Mühe, das Gerätchen ans Ohr zu heben, sie ließ es auf dem Tisch liegen und beobachtete die Angaben zum Wählvorgang auf dem Display: *Rufaufbau J...*; noch einmal ertönte die kühle Vorzimmerstimme, »bitte rufen Sie nie wieder an, Ihre Tarnung ist aufgeflogen«. Ada überlegte kurz, Bettina anzurufen, ließ es dann aber bleiben. Einen Rest an Würde wollte sie sich erhalten. Sie drückte auf den roten Knopf und schaltete das Handy aus.

Die Salmler kümmerten sich kaum darum, als sie

es ins Aquarium plumpsen ließ. Fast schienen sie damit gerechnet zu haben.

Es war die Klingel, die Ada scharf herausschnitt aus ihrem unruhigen Traum, irgendein Idiot, der pausenlos auf den Klingelknopf drückte. Ada hob ihren schmerzenden Kopf vom Küchentisch. Erst, als sie vor sich die Forelle sah und die Artischocken, von denen ein paar Fruchtfliegen aufstoben, erinnerte sie sich und begann zu ahnen, *wer* da sturmklingelte. Jeder Gedanke, der sich durch ihren verschlafenen Kopf schob, fühlte sich aufgedunsen und geschwollen an. »Na warte«, murmelte sie und stieß sich beim Aufstehen zweimal an der Tischkante.

Die Silhouette hinter der Milchglasscheibe aber, die dickliche Gestalt und die abstehenden Ohren, das alles passte nicht zu Juri.

»Guten Morgen«, sagte Matuschek und lächelte müde, als sie die Tür aufmachte.

»Ach, Sie sind das.« Ada versuchte sich die Enttäuschung und die Müdigkeit aus den Augen zu reiben. »Das tut mir leid«, sagte sie, »ich hätte schwören können, dass alles gutgeht mit Ihnen und Maria. Kommen Sie rein, aber ich warne Sie, ich brauche erst einmal irgendetwas, das meinen Kopf aufräumt.«

Matuschek folgte ihr in die Küche. Beinahe rutschte er auf den ausgeleerten Oliven aus.

»Fräulein Ada«, sagte er, »deswegen bin ich nicht … du meine Güte«, sagte er und zeigte auf den Küchentisch, »da haben Sie sich ja geradezu … Sind das Artischocken, haben Sie das wirklich alles nach meinem Rezept … und der schöne Fisch!«

»Tja«, sagte Ada, »da haben wir wohl beide Pech gehabt, Ihr Herr Enkel hat sich nämlich nicht dazu herabgelassen, hier aufzukreuzen. Mistkerl.«

»Nun ja«, sagte Matuschek, »also, was den Jungen angeht … *deswegen* bin ich ja im Grunde … ich fürchte …«

Ada war auf einmal hellwach. »Was ist los«, sagte sie, »was ist mit Juri?«

»Nun«, sagte Matuschek, »also der Junge … er hatte einen Fahrradunfall, gestern Nacht, irgendwie ist er mit dem Reifen in die Straßenbahnschiene … es hat ja geregnet, und … na, jedenfalls ist er jetzt im Krankenhaus. Ich wusste ja gar nicht, dass er jetzt Fahrradfahren kann, er hatte sich ja immer geweigert … weil seine Mutter, Sie wissen schon.«

Ada setzte sich. Hinter ihren Augen pochte es. Ein Unfall. Mit dem Fahrrad! »Wie geht es ihm denn?«, fragte sie mit trockenem Mund.

»Tja«, Matuschek schüttelte den Kopf, »also, so weit gut, nur die Hand … das wird sich zeigen.«

»Was ist mit seiner Hand? Was ist damit?«

Matuschek setzte sich. »Da war wohl ein Auto hinter ihm … wenn man bedenkt, was hätte passieren können, wenn er ein paar Sekunden später … jedenfalls konnte das Auto zwar ausweichen, aber seine linke Hand, da müssen wir warten.«

»Und warum, verflucht noch mal«, rief Ada, »ruft mich kein Mensch an, warum sitze ich hier wie die hinterletzte Idiotin und verbringe die Nacht mit einem toten Fisch?«

»Nun ja«, sagte Matuschek, »Juris Telefon ist seit dem Unfall … also, er muss es verloren haben … und es ist nicht so, dass wir nicht versucht hätten, Sie zu erreichen … aber es war schon so spät, als der Junge endlich versorgt war, vielleicht haben Sie da schon geschlafen, jedenfalls, Ihr Telefon«, sagte Matuschek beschwichtigend, »da war nur immer diese Stimme dran, Sie wissen schon, bitte rufen Sie später an. Da war nichts zu machen. Aber ich habe Ihnen hier seine Nummer aufgeschrieben im Krankenhaus, und das Zimmer, in dem er … da müssten Sie ihn finden.«

Ada nahm die Karte, die Matuschek ihr entgegenstreckte, und faltete sie in der Mitte, ohne sie anzuschauen, öffnete sie wieder, faltete sie.

»Ich gehe jetzt zu ihm«, sagte Matuschek, »wollen Sie gleich mit mir …«

Ada schüttelte den Kopf. Sie konnte doch da jetzt nicht hingehen. Juri würde sie gar nicht sehen wollen. Schließlich hatte sie ihm das Fahrradfahren beigebracht. Sie konnte da jetzt nicht hingehen, auf gar keinen Fall, und schon gar nicht mit Matuschek. »Später«, murmelte sie, »ich komme später.«

»Wie Sie meinen.« Matuschek wandte sich zum Gehen. »Und bevor ich's vergesse«, sagte er, »danke.«

»Wofür?«, fragte Ada.

»Dafür, dass Sie mich mit Ihrer Unverschämtheit dazu ermutigt haben, mich mit Maria ... na ja, Sie wissen schon.«

»Dann ist sie wenigstens nicht ganz umsonst gestorben«, sagte Ada und zeigte auf die Forelle. Auf dem Sud, in dem sie lag, hatte sich eine dünne Haut gebildet.

Der Küchenboden warf Blasen unter Adas Füßen, nachdem Matuschek gegangen war, die Bilder hinter ihrer Stirn wurden unscharf, waren jetzt nicht mehr zu erkennen, waren aufgequollen und drückten schmerzhaft gegen ihre Schädeldecke, ihre Augen fühlten sich fiebrig und aufgedunsen an, und ihre Glieder pochten, als umschließe sie eine Haut zu viel. »Es tut mir leid«, murmelte Ada und strich über die schleimig gewordene Haut der Forelle. »Das ist alles meine Schuld. Alles für nichts und wieder nichts. Wenn ich rechtzeitig nach Hause gekommen wäre und nicht herumgeflennt hätte am Fluss, wenn ich einfach Spaghetti gekocht hätte, wenn ich ihm das Fahrradfahren gar nicht erst beigebracht hätte, dann wäre das alles nicht passiert.«

Die grobledrigen Gamaschenschuhe scheuerten an Adas nackten Fersen, als sie ein paar Stunden später die Treppe hinunterging, es waren die Ersten gewesen, die ihr in die Hände gefallen waren. Langsam setzte sie einen Fuß vor den andern, als würde sie zum ersten Mal überhaupt eine Treppe hinuntergehen, schneller ging es nicht, dafür waren ihre Knie zu weich, aber Hauptsache, raus, weg von der Forelle und ihren eingetrockneten Punkten, weg von den Wartezimmerzähnen, die sich durch die Wohnungswände nagten, der immer gleichen Aussicht auf die kopfschüttelnden Tauben. Unten auf der Straße schnellte ihr unerwartete Hitze entgegen. Im spiegelnden Fenster der Erdgeschosswohnung glättete sie ihre Haare, so gut es ging, wenigstens das. Langsam setzte sie einen Fuß vor den anderen, hörte ihre Absätze auf den Asphalt schlagen, hörte ihren Atem laut im Kopf und begann schneller zu gehen, das Zittern aus ihrem Körper zu schütteln und ihn stattdessen mit Luft zu füllen, viel Luft.

Das Krankenhaus sah ganz friedlich aus von weitem mit den sonnenbeschienenen Balkonen und dem kleinen, vorgelagerten Park. Ada blieb stehen, hob ihre wundgescheuerten Fersen hinten aus den Schuhen und beobachtete die Menschen, die das Krankenhaus betraten und verließen. Sie war nicht vorbereitet auf Schlusspunkte. Erst gestern hatte sie sich in der Nähe eines Doppelpunkts gewähnt. Sie steuerte auf eine Pizzeria zu und setzte sich unter die Markise in den Schatten. Sie bestellte einen Espresso, den sie viel zu schnell trank, dann eine Zitronenlimonade, die ihr weiteren Aufschub verschaffte. Während sie an der zweiten Limonadenhälfte nippte, bog Maria um die Ecke des Krankenhauses, sogar von weitem sah sie sehr herausgeputzt aus, herausgeputzt für eine Verabredung. Sie zupfte ihr Hütchen zurecht, warf einen prüfenden Blick ins verspiegelte Apothekenfenster und zog die Lippen nach, bevor sie mit eiligen Schritten in Richtung Innenstadt ging. Ada bestellte noch eine Zitronenlimonade, danach einen Hagebuttentee, eine kalte Ovomaltine, einen Apfelsaft, einen zweiten Espresso, eine Cola und eine Johannisbeersaftschorle. »Wir würden dann jetzt bald schließen«, sagte der Kellner irgendwann, »möchten Sie noch etwas?« Ada schüttelte den Kopf, hob das Glas vom Tisch und trank es in einem Zug leer. »Obwohl«, sagte sie und ging dem Kellner hinterher ins Restaurant, »könnte ich vielleicht eine Chilischote bekommen?«

Der Kellner blickte erstaunt auf und musterte sie, legte dann aber sein Tablett ab und verschwand in der Küche.

»Bitte sehr«, sagte er, als er zurückkam, und hielt ihr mit spitzen Fingern eine Schote hin. »Sonst noch etwas?«

Ada schüttelte den Kopf, »danke«, sagte sie. Noch im Hinausgehen biss sie in die Schote, augenblicklich dehnte sich in ihrem Mund eine beißende Schärfe aus, fraß sich über den Gaumen in ihre Gedanken und verdrängte für eine Weile all die bedrohlichen Bilder daraus.

Die Eingangshalle des Krankenhauses war unangenehm heruntergekühlt, jeder von Adas Schritten hallte nach in den Wänden, als wollte das Echo sie warnen vor dem, was sie in diesem Haus erwartete. In einer hervorstehenden Ader am Handgelenk konnte sie ihren Puls rasen sehen, dort, wo die Hand noch immer schmerzte vom Fliegenfischen. In ihrer linken Hand war Matuscheks Kärtchen feucht geworden, die Schrift hatte sich abgelöst, und Juris Zimmernummer stand jetzt, wenn auch etwas verwischt, in der Mitte ihres Handballens.

Ada drückte sich an der Anmeldung vorbei und steuerte den Lift an. Sie schälte das feuchte Kärtchen aus der Faust und folgte den verwischten Koordinaten auf ihrem Handballen.

Ein paar Liftsekunden später stand sie vor der Tür zu Juris Krankenzimmer. In ihrem Mund brannte noch immer die Schärfe, aber nicht mehr stark genug, um sie abzulenken. Ob jetzt gerade jemand starb, auf einem der Stockwerke? Ada hob die rechte Hand und legte den Knöchel des Zeigefingers zum Klopfen auf die Tür, ließ die Hand aber gleich wieder entmutigt sinken. Mit einem Ruck ging die Tür ganz plötzlich und fast lautlos von innen auf: »Hoppla«, sagte Carolina lächelnd, »willst du hier rein?«

»Ich glaube schon«, sagte Ada.

»Na dann, ich muss gleich weiter, mach's gut«, sagte Carolina und verstaute einen Kugelschreiber in ihrer Brusttasche, sie hielt Ada die Tür auf und zog sie dann hinter ihr zu. Im ersten Moment musste Ada die Augen zusammenkneifen, weil das Sonnenlicht auf Juris weißer Bettdecke sie blendete. Es roch nach Brokkoli und Zwiebeln.

»Du kommst gerade richtig«, sagte Juri. Er saß aufrecht im Bett mit halb vergipster linker Hand, in deren Rücken zwei Schrauben steckten, seine Augen sahen in all dem Weiß sehr grün aus. Er lächelte. »Hast du Hunger?«, fragte er und zeigte auf ein Tablett mit abgedecktem Plastikgeschirr, das auf seinem Nachttisch stand.

Ada merkte, dass sie sich hinter ihrem Rücken an der Türklinke festklammerte. »Wie geht es deiner Hand?«, fragte sie.

»Geht so«, sagte Juri, »ich werde wohl in nächster Zeit jemanden brauchen, der mir die Schnürsenkel bindet.« Er hob die vergipste Hand hoch, »im Zeige- und Mittelfinger habe ich noch kein Gefühl«, sagte er, »aber es ist gut möglich, dass das wiederkommt.« Er zeigte mit der gesunden Hand auf einen viel zu gelben Stuhl neben dem Bett. »Willst du dich nicht setzen?«

»Weiß nicht«, sagte Ada, »ich weiß nicht einmal, ob ich überhaupt hier sein will, ich weiß gar nichts mehr.« Sie ließ trotzdem die Klinke los, ging ums Bett herum und setzte sich auf den gelben Plastikstuhl, der von der Sonne ganz warm war. Sie rutschte mit dem Stuhl ein Stückchen vor, so dass sie die Hände auf der Matratze ablegen konnte. Auch die Matratze war warm von der Sonne. »Ich habe gar keine Blumen dabei«, sagte Ada, »man bringt doch Blumen, wenn jemand im Krankenhaus liegt.«

Juri griff nach der Teetasse, die auf dem Tablett stand, nahm einen Schluck, stellte die Tasse zurück.

»Mein Großvater hat erzählt, du hättest einen Fisch gefangen«, sagte Juri, »ich finde, ein Fisch ist besser als Blumen.«

»Ja«, sagte Ada, »der Fisch, der wäre für dich gewesen. Der hätte dir eigentlich etwas sagen sollen, also, nicht richtig sagen, nicht der Fisch, meine ich, ich wollte dir etwas sagen mit dem Fisch, aber jetzt habe ich ihn umsonst aus dem Wasser gezogen und ihm umsonst den Kopf eingeschlagen und die Blase herausgekratzt mit dem Daumennagel und dann Rosmarin hineingestopft in den Bauch und Zitronen und Knoblauch, da, wo vorher die Organe waren, die Leber und das Herz und die Galle, und das nützt alles nichts, weil ich ihn ja nicht dabeihabe und du ihn gar nicht sehen kannst, weil er auf dem Küchentisch liegt und –«

Juri legte seine Hand auf ihre und hielt die aufgeregten Gesten darin fest. »Schön, dass du da bist«, sagte er.

Ada schaute auf Juris Hand, die auf ihrer lag. Sogar auf den Fingern hatte er Sommersprossen, kleine Punkte, bis zum Nagelansatz. Forellenfinger, dachte Ada. »Was ist, wenn deine Finger taub bleiben«, sagte sie.

Juri zuckte mit den Schultern. »Ich weiß nicht«, sagte er, »ich weiß nicht, was dann sein wird.«

»Hast du Angst?«, fragte Ada.

»Ich versuche, nicht darüber nachzudenken«, sagte Juri.

Ada fuhr mit der freien Hand ein unsichtbares Muster auf der Decke nach. »Es tut mir leid«, sagte sie, »das wollte ich nicht.«

»Ich habe nicht aufgepasst«, sagte Juri, »so etwas passiert. Es passiert einfach.«

Ada verwischte mit der Handfläche das unsichtbare Muster in Juris Decke, die sich dabei blau färbte wegen der Tinte auf ihrer Haut. Aus Verlegenheit blickte sie hoch und entdeckte an der Wand neben der Badezimmertür denselben Alpenkräuterkalender, der auch unten in der Notaufnahme hing. »Rutsch mal rüber«, sagte sie und hob ihre Füße aus den Schuhen. Juri zog die Decke hoch und ließ Ada darunterschlüpfen. »Krankenhäuser sind mir unheimlich«, sagte er. »Die Geräte, die Medikamente, die anderen Patienten, und dann dieses Geräusch, das die Lifttüren machen, das stellt mir die Haare auf.«

»Mit der Zeit gewöhnt man sich daran«, sagte Ada. Sie griff nach Juris Tasse, nahm einen kleinen Schluck und behielt den kalten Schwarztee zwei Liftsignale lang im trockenen Mund, dann stellte sie die Tasse zurück und schluckte den letzten Rest Schärfe hinunter. »Neulich Nacht«, sagte sie, »das war nicht das erste Mal, dass ich hergekommen bin.

Mit der Angst, das ist wie mit einem Ausschlag. Manchmal ist es schlimm, und dann klingt es wieder ab, aber es verschwindet nie ganz.«

Ada hob ihren Arm unter der Decke hervor und zeigte auf ihre Tätowierung, sie erzählte Juri, wie es dazu gekommen war, erzählte ihm von der Frau im Zug, und von der Taucherglocke, von den Vogelfüßen ihrer Mutter und dem Zahnen der Wände, vom Stethoskop, vom Friedhof und der Therapietapete, sogar von Sophie erzählte sie ihm und von der Frau mit den roten Plastikohrringen, sie erzählte, dass sie Angst vor ihrem eigenen Körper hatte, Angst vor Erdbeben, vorm Ersticken, vorm Erschlagen-werden, Angst vor einer Herzattacke, einer Hirnblutung, vor Attentaten, Amokläufen, Spülmittelresten, vor Lebensmittelvergiftungen, Lungenkrebs, Autobahnen, vorm Fliegen, vor dem eigenen Gasherd, dem eigenen Föhn.

»Und wenn sie da ist, die Angst«, sagte sie, »dann zittert alles, was ich sehe, alles verwackelt, es ist ein Selbstauslöser, den ich nicht steuern kann, ich weiß nicht einmal, wann das alles angefangen hat. Es ist, als hätte ich schon immer einen Wackelkontakt zur Welt.«

Ada merkte, dass Juri sich näher zu ihr gebeugt hatte, dass er sie ansah von der Seite, und sein Gesicht war so nah, dass sie seinen Atem auf ihrem

Schlüsselbein spürte. Aber sie wagte nicht, den Kopf zu drehen.

»Als ich das mit meiner Hand erfahren habe«, sagte Juri, »da habe ich mir einen Moment lang gewünscht, dass meine Finger taub bleiben. Damit ich mich wegen der Goldschmiede nicht entscheiden muss. Wie es aussieht, komme ich um die Entscheidung wohl nicht herum.«

»Du hast dich doch längst entschieden«, sagte Ada. »Alleine, dass du dir so was wünschst.«

»Ich werde jemanden brauchen, der mir hilft, meine Kisten auszupacken«, sagte Juri. »Die Wohnung, die ich mir angesehen habe, ist größer. Wir könnten darin wieder ein Zimmer einrichten für deine Angst, wie für einen Gast oder ein Adoptivkind. Dann kann sie bleiben, so lange sie will. Vielleicht sollten wir auch mal eine Reise mit ihr machen, nach Saragossa oder Texas oder Brindisi, damit sie sich nicht eingesperrt fühlt.«

Ada wusste nicht, wieso sie jetzt auf einmal den Kopf hob und ihr Gesicht zu Juri drehte, vielleicht wollte sie sich nur den Mund ansehen, der das gerade gesagt hatte, und weil ihr vor Aufregung und vom Kitzeln am Schlüsselbein die Gedanken verwackelten, wusste sie auch nicht, wer wen zuerst küsste, nur, dass der Kuss nach Schwarztee schmeckte und nach einer Zahnpasta, die sie nicht kannte, dass er gut schmeckte, lange dauerte und schließlich beide zum Luftholen zwang und dass die Nachmittagssonne die Silhouette ihrer Gesichter an die Wand projizierte, dicht neben den Alpenkräuterkalender.

»Mal sehen«, sagte Ada, »mal sehen.«

II

Der Pyjama von gestern

Siehst du, es schlägt noch. Ada löst die Fingerkuppen von ihrer Halsschlagader und lässt die Hand sinken, nicht zu weit, nur bis zum Schlüsselbein. Sie starrt durch das saubere Fenster auf die Straße. Die grelle Septembersonne spielt den Passanten auf dem Bordstein ihre Schatten zu, synchron und maßstabgerecht, jedem sein Quentchen Schablonenschwarz. Es ist ganz still in dem kleinen Raum, der Kühlschrank in der Küche ist schon ausgesteckt. Es riecht nach Schmierseife und Fensterputzmittel. Unten in der Bordsteinrinne wächst trockenes Gras, vielleicht täuscht Ada sich, als sie denkt, die Tauben seien schmaler geworden, vielleicht machen das nur die Kontraste. Sie fragt sich, wie groß das Herz einer Taube ist, ob es größer ist als das Herz einer Forelle und wie das aussehen mag, wenn eine Taube einen Herzinfarkt erleidet, ob sie seitwärts fällt, ob sie überhaupt fällt oder einfach nur leicht in sich zusammensackt, ob Tauben Knie haben, fragt sie sich. Im Augenwinkel fehlt der schwarze Plastikschlauch des Stethoskops, das Tischchen steht nicht mehr neben dem Fenster, es steht unten im Laderaum des Lieferwagens. Ada weiß nicht genau, wie lange sie schon so am Fenster steht und auf dem Ende ihres Zopfs herumkaut, das nach Shampoo schmeckt und Rauch, sie weiß nur, dass es ein Weilchen sein muss und dass Juri unten an der Heckseite des Lieferwagens lehnt und auf die letzten Kisten wartet. Ada zerknautscht den gelben Frotteepyjama in ihrer linken Hand, sie hat ihn in die Umzugskiste packen wollen und es dann vergessen. Das kommt immer noch vor, dass ihre Vorhaben sich in ihren Gedanken verheddern. Sie denkt gerade noch daran, jetzt nicht den Kopf gegen die geputzte Scheibe zu lehnen, da jetzt keinen Fleck mehr hinzumachen. Der Karton knistert ein bisschen, als sie den Pyjama zu den anderen legt. Sie weiß, dass auch die Taucherglocke längst im Laderaum steht, irgendwo zwischen dem Fischfutter und den Perücken wahrscheinlich, irgendwo, wo sie sie nicht vermutet. Sie weiß auch, dass irgendwo beim Fischfutter das Kärtchen liegt, das Carolina ihr gegeben hat, und dass sie die Nummer darauf anrufen muss, sie hat es Maria versprochen. Sie weiß auch, dass es nicht an den Wohnungen liegt, wenn die Wände zahnen, dass sie auch in der neuen Wohnung zahnen werden, weil nämlich die

Zähne wie Larven in den Mauern liegen und erst wachsen, wenn jemand im Dunkeln mit offenen Ohren nach ihnen lauscht. Die Quartierglocke schlägt halb, Ada weiß nicht, halb was. Sie hört, wie Maria die Treppe hochkommt, um ihr beim Tragen zu helfen. Sie entknittert ihre krampfigen Hände und schiebt die Kiste mit den Pyjamas zur Tür.

Ich danke von Herzen:

Björn, für jede Stunde. Einmal quer durchs Alphabet, von A wie Aufmunterung und Antrieb bis Z wie Zuversicht, Zucchiniauflauf, Zuhause. Ohne dich gäbe es dieses Buch nicht.

Paula und Marc, für unermüdliches Diskutieren und Hinterfragen, fürs Mitdenken, Querdenken, Durchdenken. Für die Freundschaft. Ohne euch wäre das Buch nicht, was es ist.

Meinen Eltern, meiner Schwester und meinem Bruder für die Unterstützung und das unentwegte Vertrauen in mich und meine Arbeit.

Rolf, für die Versorgung mit Literarischem von klein auf, für Zuspruch und Interesse.

Meinen Großeltern, fürs Anteilnehmen.

Gweni, für das Anfeuern der ersten Schritte.

Milan, für vieles, was bleibt.

Sarah B., für Halt und guten Mut.

Kerstin, Carlos und Camille, für das schönste Gästezimmer der Welt.

Dem Aargauer Kuratorium, für die großzügige

Unterstützung und die Möglichkeit, frei zu arbeiten.

Den Studierenden und Dozierenden des Schweizerischen Literaturinstituts, für gute Fragen, für Anregungen und Kritik, insbesondere Silvio und Tim.

Dem Literarischen Colloquium Berlin, Thorsten Dönges, Ursula Krechel und den Stipendiaten der Autorenwerkstatt Prosa 2011/12 für die wertvollen Gespräche und die schöne Zeit.

Ruth, für die Schreibstunden im Alpenhof.

Julia, fürs Engagement.

All meinen Freunden, die mich während der Arbeit an diesem Buch ertragen haben.

All jenen, die mich mit Fragen und Geschichten inspiriert haben.

Dem Metrolit Verlag, für den Weg vom Text zum Buch.

DANKE.

Simone Lappert
Der Sprung
Roman

Dienstagmorgen in einer mittelgroßen Stadt. Manu, eine junge Frau in Gärtnerkleidung, steht auf dem Dach eines Mietshauses. Sie brüllt, tobt, wirft Gegenstände hinunter, vor die Füße der zahlreichen Schaulustigen, der Presse, der Feuerwehr. Die Polizei geht von einem Suizidversuch aus.

Einen Tag und eine Nacht lang hält die Stadt den Atem an. Für Finn, den Fahrradkurier, der sich erst vor kurzem in Manu verliebt hat, bleibt die Zeit stehen. Genau wie für ihre Schwester Astrid, die mitten im Wahlkampf steckt. Den Polizisten Felix, der Manu vom Dach holen soll. Die Schneiderin Maren, die nicht mehr in ihre Wohnung zurückkann. Für sie und sechs andere Menschen, deren Lebenslinien sich mit der von Manu kreuzen, ist danach nichts mehr wie zuvor.

Ein lebenspraller Roman über eine eigenwillige Frau und über die Schicksale, an denen wir voreingenommen oder nichtsahnend vorübergehen. Mit Esprit, Sinnlichkeit und Humor erzählt Simone Lappert vom fragilen Gleichgewicht unserer Gegenwart.

»Mit ihrem Reigen der Versehrungen erzählt Lappert auf der Höhe der Zeit und geht ganz nah ran an aktuelle gesellschaftliche Entwicklungen.«
Carsten Schrader / kulturnews, Hamburg

»Verstörend, verletzlich, zu Tränen rührend und auch voller Humor.«
Dagmar Kaindl / Buchkultur, Wien